LE PETIT GUIDE DU

HOCKEY MINEUR

PARENTS AVERTIS

MATHIAS BRUNET

»» LE PETIT GUIDE DU ««
HOCKEY MINEUR
POUR
PARENTS AVERTIS

LES ÉDITIONS **LA PRESSE**

Catalogage avant publication de Bibliothèque et Archives nationales du Québec et Bibliothèque et Archives Canada

Brunet, Mathias, 1968-
Le petit guide du hockey mineur pour parents avertis
Comprend un index.
ISBN 978-2-89705-256-0
1. Hockey pour enfants - Québec (Province). I. Titre.

GV848.6.C45B78 2014 796.962083 C2014-941200-2

Présidente Caroline Jamet
Directeur de l'édition Éric Fourlanty
Directrice de la commercialisation Sandrine Donkers
Responsable, gestion de la production Carla Menza

Éditeur délégué Yves Bellefleur
Conception graphique, mise en page et illustrations Simon L'Archevêque
Photographie de la couverture Bernard Brault, *La Presse*
Révision linguistique Guy Bonin
Correction d'épreuves Yvan Dupuis
Communications Marie-Pierre Hamel

L'éditeur bénéficie du soutien de la Société de développement des entreprises culturelles du Québec (SODEC) pour son programme d'édition et pour ses activités de promotion.

L'éditeur remercie le gouvernement du Québec de l'aide financière accordée à l'édition de cet ouvrage par l'entremise du Programme de crédit d'impôt pour l'édition de livres, administré par la SODEC.

Nous reconnaissons l'aide financière du gouvernement du Canada par l'entremise du Fonds du livre du Canada (FLC).

Dépôt légal – 3e trimestre 2014
ISBN 978-2-89705-256-0
Imprimé et relié au Canada

LES ÉDITIONS **LA PRESSE**
Les Éditions La Presse
7, rue Saint-Jacques
Montréal (Québec)
H2Y 1K9

À mes fils Charles-Émile et Antoine,
qui font de moi un homme immensément riche.

« La punition impose le silence,
mais ne démontre pas l'erreur. »

— Samuel Johnson,
écrivain anglais (1709-1784)

»» TABLE DES MATIÈRES ««

Stéphane Quintal

© photo *La Presse*

PRÉFACE

J'ai été un garçon chanceux. Mes parents m'ont encadré de façon parfaite dans mon cheminement de jeune hockeyeur. Je ne les ai jamais vus parler une seule fois à mes entraîneurs à propos de mon temps d'utilisation et d'autres exigences. Ils ne m'ont jamais mis de pression, même s'ils étaient toujours là pour m'appuyer. Ils sont un modèle pour le père que je suis aujourd'hui et j'essaie de recréer la même chose avec mon garçon.

Mon parcours dans le hockey mineur a été important pour moi. J'ai eu de bons mentors qui m'ont enseigné de belles valeurs, l'esprit d'équipe, la rigueur, le travail bien fait. Je me sentais valorisé parce que je réussissais à m'accomplir dans un domaine, même si je n'étais jamais le meilleur au sein de mes équipes. J'ai mis un peu plus de temps à me développer. À preuve, je suis passé en une saison du Midget BB au Midget AAA !

Mes plus beaux souvenirs demeurent les tournois à l'extérieur, quand on se retrouvait tous, parents comme enfants, dans les hôtels après nos matchs. Ce sont des moments qui resteront à jamais gravés dans ma mémoire.

Le hasard a voulu que le fils de Mathias Brunet et le mien se retrouvent au sein de la même équipe de niveau Novice l'hiver dernier, au cours de la saison 2013-2014, et j'ai accepté avec plaisir de seconder Mathias à titre d'adjoint.

J'ai connu Mathias à ma première saison avec les Canadiens de Montréal, en 1995. Nous avons passé la décennie suivante à nous côtoyer sur une base presque quotidienne puisque à l'époque les journalistes voyageaient encore avec l'équipe et logeaient dans les mêmes hôtels que les joueurs. Nous avons développé une bonne relation professionnelle, puis une belle amitié à ma retraite, en 2005.

L'année pendant laquelle j'ai dirigé une jeune équipe avec Mathias s'est révélée des plus enrichissantes. Il avait mis plusieurs mécanismes en place qui contribuaient à rendre les garçons disciplinés et travaillants, mais il savait aussi les mettre en valeur et tirer le meilleur de chacun, car il avait ce don de jauger la personnalité de tous ses joueurs, du premier au dernier.

Sa façon d'inviter les joueurs à quitter le vestiaire un à un en direction de la patinoire en les nommant faisait en sorte que chacun se sentait important. Il y avait toujours de la musique dans le vestiaire, avant et après les matchs et les entraînements. Mathias arrivait à créer une ambiance semblable à ce que j'avais vécu dans un vestiaire de la Ligue nationale de hockey (LNH), mais au niveau Novice !

Il était en contrôle derrière un banc et trouvait toujours des solutions à tout. Il devait maintenir une harmonie parfaite entre joueurs, parents et enfants. C'était assez impressionnant. J'ai vraiment vécu ma plus belle année dans le hockey mineur avec mon fils en compagnie de Mathias.

Le fait qu'il était plus dur avec ses propres enfants qu'envers les autres en dit long sur sa personnalité. Il a d'ailleurs toujours refusé de nommer ses garçons capitaine ou assistant quand il agissait à titre d'entraîneur en chef.

J'ai lu ce livre avec beaucoup d'attention et de plaisir. J'espère que le plus grand nombre de parents possible ayant un enfant dans le hockey mineur pourront faire de même.

À cet âge, il est important pour les enfants d'avoir de bons guides, tant sur le plan moral que sportif. Les jeunes ont une chance infime d'atteindre un jour la LNH. S'ils bénéficient d'un bon encadrement, s'ils ont appris la discipline, la rigueur et l'esprit d'équipe, on pourra dire mission accomplie.

Stéphane Quintal

Directeur du département de la sécurité
des joueurs de la LNH

Los Angeles, le 7 juin 2014

AVANT-PROPOS

À une époque, pas si lointaine, je jurais que mes enfants ne joueraient jamais au hockey dans une ligue de hockey organisé. Nous étions heureux sur notre lac glacé, loin du chaos des arénas humides et bruyants, et j'éprouvais un grand plaisir à entretenir notre patinoire à l'aide d'une vieille pompe empruntée à un voisin pour tirer l'eau directement du lac. Le décor était bucolique, l'ambiance, douce et mes deux garçons développaient avec beaucoup de plaisir un coup de patin très fluide. Mon plus vieux a donné ses premiers coups de lame à trois ans, tandis que son frère geignait déjà à deux ans et demi pour suivre ses traces !

En 2004, un documentaire diffusé à Canal D sur la violence dans le hockey mineur, auquel ma conjointe et moi avions collaboré respectivement à titre de recherchiste et de scénariste, n'aidait en rien à dissiper mes craintes. La caméra exposait une réalité désolante et indéniable : on y voyait des parents hurler dans les gradins, imposer une pression indue à leurs enfants afin qu'ils « rapportent » plus tard des millions de dollars à la famille en jouant dans la Ligue nationale de hockey (LNH) et apostropher violemment des entraîneurs et des arbitres. Un conducteur de resurfaceuse a même perdu des dents à la suite d'un incident sur la glace !

Les années ont passé et les enfants ont grandi. Les images du documentaire se sont-elles dissipées ? Peut-être. Âgés de six ans et quatre ans, Charles-Antoine et Émile semblaient tirer une grande satisfaction de leurs progrès sur patins, mais je sentais qu'ils devenaient las de disputer des matchs à deux contre leur père... On parle ici d'enfants qui, comme leur père affecté à la couverture du hockey pour le compte de *La Presse* depuis 1994, nourrissaient une passion profonde pour notre sport national. Des garçons que je devais chasser du sous-sol en les forçant à retirer leur équipement (complet) en pleine canicule de juillet pour profiter du beau temps au bord de l'eau.

J'ai finalement cédé à la pression en août 2011, à la faveur d'un déménagement à Montréal, pour les inscrire dans une équipe. Vous ai-je dit que je ne faisais pas les choses à moitié ? Me voilà, à peine deux ans plus tard, à écrire un livre sur le hockey mineur. Que s'est-il passé entre nos derniers coups de patin sur le lac et aujourd'hui ?

J'ai été entraîneur en chef au niveau Novice A, président de l'Association de hockey mineur d'Outremont et Mont-Royal, entraîneur au niveau Atome CC et fondateur des Princes de Montréal, organisation qui compte désormais 14 équipes et dispute des tournois dans la Ligue Élite de hockey du Québec (LEAAAQ), une ligue AAA de printemps de calibre provincial.

Je suis à la fois père et entraîneur. Et c'est au cours d'un match de... soccer que la présidente des Éditions La Presse, Caroline Jamet, a eu l'idée de me proposer d'écrire ce livre. Ça tombait bien, car je le portais en moi sans le savoir. J'ai beaucoup, beaucoup de choses à raconter...

>>> CHEMINEMENT IDÉAL DU JOUEUR

PROGRAMMES / CHAMPIONNATS <<<

- Coupe Stanley
- Jeux Olympiques
- Championnat du monde

- Coupe Memorial
- Équipes nationales junior et moins de 18 ans : Championnat mondial et Ivan Hlinka
- **Équipe Québec** moins de 17 ans : Défi mondial
- Alliance Sport-Études

- Coupe Telus : Championnats Canadiens
- **Équipe Québec** moins de 17 ans : Défi mondial
- Jeux du Canada 2015
- **Équipe Québec** moins de 16 ans : Coupe du Québec
- Chall. moins de 16 ans excellence LHJMQ
- Sport-Études

- Championnats provinciaux
- Chall. moins de 16 ans excellence LHJMQ
- Tournois provinciaux
- Sport-Études

- Championnats provinciaux : AAA - AA - BB - CC
- **Équipe Québec** moins de 15 ans : Tournois espoir et compétition internationale
- Structures intégrées : Programme printanier moins de 14 ans, Jeux du Québec 2015-2017, Coupe Québec moins de 15 ans / décembre 2013, 2015
- Sport-Études

- Championnats AAA - AA - BB - CC provinciaux
- Structures intégrées : Programme printanier moins de 13 ans, Coupe Québec moins de 13 ans
- Concentration hockey au niveau scolaire

- Championnats provinciaux : BB - CC
- Programme PIJE pour tous

- Programme MAHG / Initiation pour tous

On inscrit son enfant au hockey mineur en contactant le service des sports et loisirs de sa municipalité.

CHAPITRE

#1

»» LA ««

GRANDE AVENTURE !

MES PREMIERS PAS

On n'est jamais aussi bien servi que par soi-même, dit-on. Quand j'ai inscrit mes fils au hockey organisé pour la première fois, j'ai offert mes services à titre d'entraîneur. Une fois les sélections terminées, je suis donc devenu l'entraîneur en chef d'une des deux équipes Novice A d'Outremont et Mont-Royal. Je me disais qu'en m'impliquant ainsi, j'allais pouvoir maîtriser l'environnement dans lequel grandiraient mes fils pendant l'hiver et que je leur éviterais le risque d'avoir à subir un entraîneur incompétent, mesquin ou rude.

Même s'il s'agissait de diriger des jeunes de sept et huit ans, une certaine nervosité m'habitait. Je me rappelle avoir eu une pensée pour l'ancien entraîneur du Canadien, Mario Tremblay, qui avait été nommé à la tête de l'une des organisations les plus prestigieuses de la LNH sans la moindre expérience derrière un banc des joueurs !

Comment allais-je procéder ? J'ai consulté ceux qui m'avaient précédé, j'ai lu des livres et je me suis fié à mon instinct. Je me suis aussi souvenu du meilleur conseil qu'on m'avait donné quand je suis devenu père pour la première fois : « Prends ton enfant dans tes bras et dis-lui que tu l'aimes, le reste viendra naturellement », m'avait dit le cinéaste Denys Arcand.

Il n'était évidemment pas question d'agir de cette manière ! Mais si, en plus de leur inculquer les bases du hockey, j'avais l'occasion de les stimuler, de valoriser leur estime d'eux-mêmes tout en leur enseignant les vertus de la rigueur et de l'effort, je gagnerais mon pari. Mais qui dit hockey mineur dit aussi parents. Afin de donner le ton juste et de m'assurer que nous serions tous dans la même petite bulle où la fraternité, la solidarité et la positivité seraient au rendez-vous du début à la fin de la saison, voici la lettre que je leur ai adressée :

Bonjour,

Je suis Mathias Brunet, je serai l'entraîneur de votre enfant cette saison. Le hockey occupe une grande place dans ma vie. Je couvre ce sport pour le compte du journal La Presse *depuis maintenant 17 ans. J'ai suivi le Canadien aux quatre coins de l'Amérique pendant 10 ans avant de me spécialiser dans les activités de la LNH.*

J'entends mettre à profit tous les conseils hérités des gens du milieu au fil des années ainsi que ma grande passion pour ce sport (je joue d'ailleurs deux ou trois fois par semaine). Je prévois également suivre une panoplie de cours dans les prochains mois pour perfectionner encore davantage mon savoir puisqu'il s'agit pour moi d'une première expérience dans le hockey mineur et que je ne prends pas ce défi à la légère.

Nous, à titre d'entraîneurs, sommes heureux d'avoir la chance de prendre soin du développement de votre enfant cet hiver. Nous entendons bien mettre tout en œuvre pour qu'il s'agisse d'une saison mémorable, autant pour vous que pour votre enfant.

Par mémorable, on parle de développement et de progression tant sur la glace qu'à l'extérieur. Le hockey est une belle école quand il est pratiqué dans un cadre sain.

Nous avons des valeurs auxquelles nous sommes profondément attachés : le plaisir, mais aussi le respect. La camaraderie, mais aussi la rigueur au travail. L'entraide, le partage, l'humilité et évidemment le développement des habiletés sportives.

La victoire oui, mais ce n'est pas un but en soi. Comme me l'a souvent mentionné mon ami Guy Boucher, aujourd'hui entraîneur à Tampa Bay de qui je m'inspire fortement, trop de variables entrent en ligne de compte pour que les victoires servent d'instrument de mesure pour évaluer le progrès collectif et individuel. Nous ne contrôlons pas le jeu de l'autre équipe, mais seulement le nôtre. En ce sens, nous mettrons tous les efforts pour nous améliorer tout au long de l'année. Je suis plutôt du type à féliciter mes troupes si elles ont disputé un brillant match perdu 2-1, mais à corriger des lacunes si elles ont remporté une victoire de 4-2 malgré une performance médiocre.

Votre enfant recevra des enseignements au plan collectif parce qu'il vaut mieux leur inculquer les grandes lignes tactiques du jeu de hockey plus tôt que tard – d'ailleurs, je suis fasciné depuis le début des entraînements de voir à quel point vos enfants assimilent rapidement ce qu'on leur enseigne, de vraies éponges ! –, mais il y a aura beaucoup de travail au plan individuel.

Aucun enfant ne sera laissé pour compte. Chacun connaîtra sa position sur la glace et se verra fixer trois objectifs (technique, tactique et moral) qu'il devra atteindre sur une période de cinq matchs. Au plan technique, nous approfondirons la maîtrise du patin. Il y a encore du travail à faire sur les pivots (entre autres insister sur l'importance du bon pied d'appui), le patin arrière, le freinage et les départs explosifs.

Les enfants recevront un temps de glace équitable. Il se peut que nous ne soyons pas ajustés à la seconde près (svp, n'apportez pas vos chronomètres !) mais nous nous assurerons que personne ne se sentira lésé. Les entraîneurs se réservent cependant le droit, dans des cas exceptionnels comme les dernières minutes d'un match en finale d'un tournoi, par exemple, de gérer de façon à remporter la victoire.

Les enseignements sur la glace se feront en français, mais tous les entraîneurs sont bilingues et nous pouvons les traduire à mesure si des enfants ne saisissent pas toutes les subtilités du message. Au plan individuel, nous leur parlerons dans la langue de leur choix.

Les apprentissages techniques individuels s'inscriront dans une proportion de 75 %, avec 25 % de part tactique et collective.

Je crois beaucoup au renforcement positif et votre enfant en recevra. Ce qui ne veut pas dire que nous embellirons la situation, mais chaque enseignement ou point technique à corriger sera accompagné d'un compliment. La confiance est tellement fragile – on le voit même au niveau de la LNH –, mais lorsqu'elle est gonflée à bloc, elle permet de déplacer des montagnes.

Nous ne négligerons pas l'encadrement pour autant et la fermeté sera au rendez-vous lorsqu'il y aura des écarts de conduite. Mais les cris, la mesquinerie et l'impatience ne font pas partie de nos valeurs comme entraîneurs, soyez-en assurés.

Nous vous promettons donc de consacrer toutes nos énergies au développement sportif et moral de votre enfant. En retour, nous vous demandons de nous faire confiance et de nous laisser « coacher ». Nous allons développer une philosophie de jeu claire car l'envoi de signaux multiples, et parfois contradictoires, risque de confondre le joueur inutilement.

Merci de votre attention.

Mathias Brunet

***

Nous avions déjà disputé quelques matchs en saison régulière lorsque j'ai suivi mes premiers cours obligatoires de formation. Hockey Québec permet en effet aux entraîneurs de suivre leur formation de base jusqu'au 31 décembre. À titre d'entraîneur-chef, il me fallait suivre sur Internet le cours « Respect et Sport » pour ensuite être admissible au cours « Initiation » en Pré-Novice et Novice qui comporte de la théorie et de la pratique. J'ai aussi suivi le cours « Préposé santé et sécurité au hockey » puisqu'au moins un entraîneur derrière le banc doit posséder ce certificat.

Depuis 2013, Hockey Québec a resserré ses règles : dans un but d'uniformisation avec Hockey Canada, non seulement les entraîneurs-chefs doivent avoir suivi ces cours, mais aussi tous les entraîneurs adjoints. C'est une bonne chose puisque cela permet à tous ceux qui veulent enseigner aux enfants de posséder les mêmes notions de base. Il y a aussi d'autres cours à suivre quand on passe au niveau Atome (simple lettre), notamment le cours « Entraîneur Récréation », et ensuite au niveau Atome (double lettre) comme ce fut mon cas l'année suivante avec le cours « Introduction à la compétition ».

Je dois admettre que malgré mes connaissances dans le domaine du hockey, ces cours m'ont permis d'ajouter quelques trucs utiles à mon coffre d'outils d'entraîneur !

MIEUX VAUT APPRENDRE À PATINER JEUNE

Commencer à patiner très jeune, soit dès l'âge de trois ans, permet d'acquérir une base solide sur le plan de la technique de patinage. Le jeune qui maîtrise bien son équilibre peut accomplir beaucoup sur la glace.

« Il est important d'apprendre à patiner jeune, mais le plaisir doit être aussi important que la progression de l'enfant. Il doit en tirer une satisfaction personnelle. On voudrait parfois qu'il se développe plus rapidement, mais n'oublions pas que l'enfant ne sera pas au sommet de l'apprentissage entre cinq et sept ans, car la connexion des circuits nerveux survient plutôt entre 8 et 12 ans. Entre-temps, on lui rappelle les positions de base, de bien fléchir les genoux, de glisser et de pousser dans une position assise », dit Yves Archambault, directeur général de Hockey Québec.

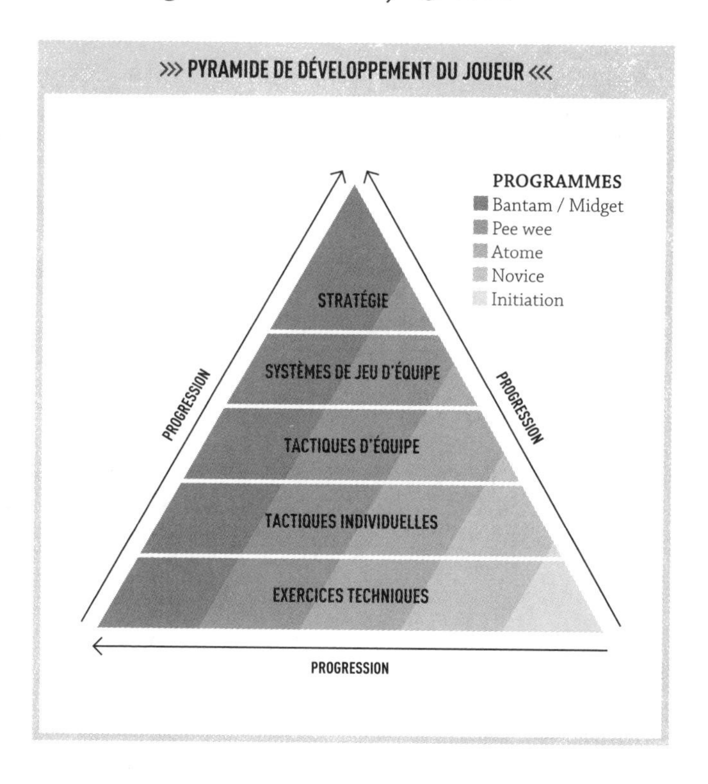

Ainsi, quand j'ai accepté la présidence de l'Association de hockey Outremont et Mont-Royal en 2012, j'ai insisté pour qu'on renforce les programmes de développement chez les tout-petits de niveau Pré-Novice et qu'on mette l'accent sur le coup de patin. Nous avions de sérieuses lacunes à ce chapitre et nous étions encore plus exposés à ces faiblesses quand nous visitions des villes à l'extérieur de notre région, lors de tournois. Je rêvais de voir nos jeunes de six et sept ans passer au niveau Novice et déjà maîtriser la technique du freinage, du pivot et du patin arrière. Je rêvais de ne plus voir nos jeunes patiner « sur la bottine » du niveau Novice au Midget...

Tout en respectant le programme de base de Hockey Québec, nous avons donc mis l'accent sur le patinage. Certains entraînements se sont déroulés sans rondelles sauf pour un petit match de 10 minutes à la fin, mais, à notre grande surprise, les jeunes de cinq et six ans s'amusaient et en redemandaient. Nous avons réalisé qu'ils apprenaient plus vite lorsqu'on évitait d'introduire un trop grand nombre de notions à la fois : donc, l'apprentissage du patinage se faisait mieux sans rondelle et les enfants maîtrisaient mieux le maniement de la rondelle quand on ne les soumettait pas à des exercices de patinage en même temps. Bref, une étape à la fois.

Malgré leur jeune âge, j'ai remarqué que nos jeunes enfants à Outremont et Mont-Royal retiraient une grande satisfaction du dépassement personnel et des progrès qu'ils faisaient sur la patinoire. Ils n'avaient pas besoin de disputer un match pendant 50 minutes pour avoir du plaisir. Un jeune qui n'arrive pas à freiner et qui, finalement, y parvient quitte la glace avec un grand sourire aux lèvres, je peux vous le garantir !

Évidemment, il est impossible d'arriver à cet équilibre entre effort et plaisir si on ne dispose pas de pédagogues patients, passionnés et compétents. J'adhère aux théories d'Alfred North Whitehead qui écrivait en 1929, dans son ouvrage *The Aims Of Education*, que « le premier stade de l'apprentissage, peu importe l'âge, doit se faire dans le plaisir, de façon presque romanesque, avec d'extraordinaires enseignants qui rendent la pratique de leur activité excitante et intéressante ». N'est-ce pas aussi Benjamin Bloom, auteur du célèbre livre *Developing Talent In Young People* publié en

1985, qui affirmait que « la plupart des êtres placés dans des conditions favorables d'apprentissage peuvent atteindre un haut niveau d'excellence » ?

Je conseillerais donc à toutes les associations de concentrer leurs efforts sur les aspects de base du hockey en y affectant les meilleurs pédagogues, pour s'assurer que « l'arbre pousse droit avec un tuteur solide » dès les premières années d'apprentissage.

L'une de nos éminences grises du hockey au Québec, Georges Larivière – professeur honoraire d'éducation physique à l'Université de Montréal, entraîneur avec l'équipe nationale junior au début des années 1980, lauréat en 1986 du trophée Gordon Juckes remis par Hockey Canada pour sa contribution exceptionnelle au développement du hockey amateur au Canada, membre du Temple de la renommée de la Fédération québécoise de hockey sur glace et conférencier en Amérique du Nord et en Europe – estime qu'il est important d'enseigner convenablement les rudiments du sport en bas âge si l'on veut favoriser un bon développement sportif :

« Si l'enfant-hockeyeur est mal formé ou si celui-ci ne reçoit pas d'enseignement du tout, il pourra développer de mauvaises habitudes au fil des années et il devient alors très compliqué de reconstruire son jeu. Il faudra d'abord annuler les mauvaises habitudes pour ensuite enseigner les bonnes choses. Ça peut être très complexe, voire très long. »

Nous avons ensuite commencé à disputer des petits matchs contre des équipes d'autres villes. Contrairement aux années précédentes où nous étions heureux de nous en tirer sans accorder trop de buts, voilà que nous démolissions l'adversaire. Des scores de 20-2 en notre faveur devenaient chose courante. Non seulement les jeunes avaient du plaisir à jouer, mais leur estime de soi augmentait de façon impressionnante. Le meilleur était à venir !

LE « ROI LION »

Il s'appelait Jaden. C'était un petit garçon surdoué, de loin mon meilleur joueur. Il était aussi un petit être humain de huit ans exceptionnel, affable, intelligent et déjà empathique malgré son jeune âge.

J'en ai fait mon premier capitaine et il a hérité du surnom de « roi lion » parce que son leadership était naturel. Sur la glace, il donnait l'exemple par son acharnement et il pouvait transporter la rondelle d'un bout à l'autre de la glace pour conduire son club à la victoire. Le « roi lion », par son talent, me permettait d'avoir un club compétitif dès ma première expérience comme entraîneur, mais il représentait aussi un défi de taille.

On m'a souvent parlé de ces jeunes surdoués du hockey qui ont vite plafonné après avoir dominé dans les rangs Pré-Novice et Novice. Trop forts pour leurs compagnons, ils n'avaient jamais eu à jouer collectivement, car ils étaient trop rapides pour leurs coéquipiers, sans compter que ceux-ci étaient généralement incapables de capter correctement leurs passes. Pourquoi ralentir et attendre des coéquipiers moins talentueux quand on peut facilement percer la défensive adverse et jouer les héros ?

C'est dans des cas comme ceux-là que l'entraîneur doit faire preuve d'abnégation pour le bien de l'enfant : sacrifier des victoires, et ralentir volontairement le surdoué, pour lui apprendre le plus tôt possible à utiliser ses compagnons quitte à perdre la rondelle à des moments inopportuns.

J'avais prévenu son père, George, un sage homme, qui lui aussi était d'accord : si l'on ne « cassait » pas immédiatement le style de jeu de Jaden, il allait frapper un mur dans les rangs Pee Wee ou même Atome, puisqu'en gravissant les échelons, il allait un jour ou l'autre affronter des défenseurs plus doués et plus aguerris qui ne se laisseraient pas déjouer comme ses adversaires actuels.

Première étape : exposer la situation au garçon. Deuxième étape, qui n'est pas nécessairement incontournable, mais souhaitée : muter Jaden au poste de défenseur, position qui lui permettrait d'élargir sa vision périphérique et de multiplier ses options de passe.

Nous avons conclu une entente : Jaden devait favoriser la passe à ses coéquipiers en tout temps, sauf dans la deuxième moitié de la troisième période si la situation l'exigeait, c'est-à-dire si l'on tirait de l'arrière et si l'équipe avait besoin d'un but.

On ne corrige pas de vilaines habitudes du jour au lendemain. Jaden réussissait à effectuer des passes à l'occasion, mais quand les choses tournaient moins bien pour l'équipe ou s'il était fatigué, il avait tendance à revenir à ses vieilles habitudes et à jouer de façon individuelle.

Tous les moyens étaient bons pour l'aider à changer sa méthode. Nous avons notamment visionné des matchs des Red Wings de Detroit et je lui ai donné Nicklas Lidström en exemple. Il n'y a en effet rien de mieux que de montrer un match de la LNH à un jeune hockeyeur pour lui apprendre à faire des passes, car la rondelle ne reste jamais très longtemps sur la lame du bâton. Les enfants ont un choc quand ils constatent que rares sont les joueurs qui parviennent à déjouer plus d'un adversaire quand ils tentent un jeu individuel.

Jaden s'est heurté pour la première fois à un mur à Québec lors d'un tournoi, comme le reste de l'équipe d'ailleurs. L'adversaire était trop fort et ne mordait plus à ses feintes. On pouvait lire le désarroi sur son visage. Assis sur le banc des joueurs, notre jeune capitaine s'est tourné vers son père en pleurant, prétextant que ses patins étaient mal aiguisés et qu'il ne pouvait manœuvrer à sa guise. J'y ai presque cru.

Le lendemain, son père a présenté la paire de patins aiguisés à Jaden. C'était un leurre. George connaissait son fils mieux que personne. Les patins n'avaient pas été aiguisés, mais quand il a demandé à son fils après le match si les lames de ses patins avaient bien mordu dans la glace, celui-ci a répondu qu'elles étaient parfaites. J'ai adoré la ruse. Je l'ai ensuite utilisée et ai obtenu le même résultat !

La saison a pris fin sept mois plus tard, mais Jaden jouait encore de façon un peu trop individualiste à notre goût. La côte allait être abrupte s'il voulait faire le saut dans la catégorie Atome BB – la plus relevée chez les Atome – la saison suivante.

Notre saison printanière AAA des Princes de Montréal a commencé – il s'agit d'un regroupement de joueurs des villes d'Outremont et Mont-Royal auquel j'ai greffé les meilleurs éléments recrutés dans la grande agglomération de Montréal pour participer à des tournois de la Ligue Élite de hockey du Québec (LEAAAQ). Le calibre était plus élevé et, malgré tous nos efforts pendant un an avec l'équipe Novice, Jaden en a arraché. Lui qui était si discipliné, poli, respectueux et acharné au travail était maintenant dissipé, paresseux et distrait. Je ne le reconnaissais plus. Un matin, c'en était trop, il n'écoutait pas les consignes. Je l'ai alors invité à quitter la patinoire.

Je me suis ensuite assis avec lui dans le vestiaire et lui ai demandé ce qui n'allait pas. Il a éclaté en sanglots : comme il affrontait l'adversité pour la première fois, il ne savait pas comment composer avec la situation. Je lui ai répondu que tous les grands athlètes faisaient face à ce genre d'épreuve dans leur cheminement – même Crosby, même Ovechkin –, mais qu'il fallait redoubler d'ardeur même si c'était difficile.

Le fait d'avoir exprimé ses émotions et compris qu'on l'estimait encore autant même s'il n'avait plus le même succès qu'auparavant a semblé le transformer. Dans les semaines qui ont suivi, il est redevenu lumineux et a commencé à faire des passes davantage, terminant la saison de printemps en force.

Il jouait déjà beaucoup mieux collectivement au camp d'entraînement de la catégorie Atome BB et il a été sélectionné au sein de l'équipe sans problème. Malgré son jeune âge, il est devenu un pilier au fil des mois. Aujourd'hui, on le voit rarement tenter de déjouer un adversaire à un contre un. Il est d'abord reconnu comme un passeur et son avenir dans le hockey mineur apparaît fort intéressant. Je suis très fier de lui.

CHAPITRE

#2

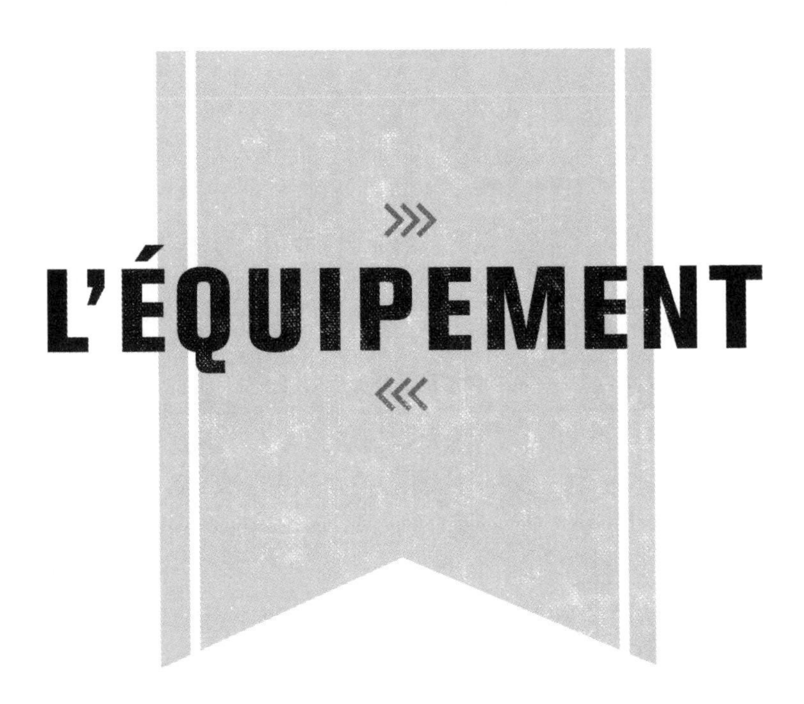

L'ÉQUIPEMENT

Chaque fois que je vois sur la glace un jeune joueur avec un bâton trop lourd, trop grand ou trop court, des patins mal aiguisés ou mal ajustés, je m'empresse de le mentionner aux parents après l'entraînement pour qu'ils y remédient. Parfois, certains me répondent que leur enfant est encore jeune et que c'est secondaire. À la blague, je leur rétorque toujours qu'on ne laisserait pas Mozart exprimer son talent avec un piano électrique ! Le ton est badin, évidemment, et je n'ai encore jamais rencontré de « petit Mozart du hockey », mais il reste que l'enfant aura de bien meilleurs résultats si son équipement est adéquat et, en conséquence, plus de plaisir. Aucun jeune ne s'amuse quand il freine mal ou peine à faire des jeux parce que son bâton est trop long ou trop court.

Au chapitre de la performance, les patins demeurent l'outil le plus important. Il n'est pas nécessaire de payer le gros prix : les patins les plus chers offrent assurément une plus grande durabilité, mais cet aspect est secondaire à cet âge puisque les pieds allongent vite. Malgré mon souci d'économie, je suggère néanmoins fortement d'opter pour du neuf et de recourir au service d'un spécialiste lors de l'achat. J'éviterais de payer plus de 75 $ pour une paire de patins destinés à un enfant de moins de 10 ans.

Louis, huit ans, avait un certain talent. Mais je remarquais chaque fois que je le voyais à l'œuvre qu'il semblait avoir les chevilles fragiles, bref qu'il patinait « sur la bottine » comme on dit couramment. Il semblait avoir de grands pieds et le cuir de ses patins paraissait mou. J'ai donc suggéré à son père de vérifier la taille de ses patins, qui lui avaient été donnés par un ami plus vieux dont les pieds étaient devenus trop grands. Dès le match suivant, chaussé de patins de la bonne pointure, Louis patinait avec beaucoup plus d'aisance et ses élans avaient nettement plus d'élégance. L'année suivante, il a réussi à se tailler une place au sein de la meilleure équipe de sa ville et en est devenu un joueur important. N'oubliez jamais que la bottine est une extension de la jambe au pied, à la lame, à la glace… Conseil : Évitez donc les trocs ou encore d'acheter des patins neufs trop grands afin qu'ils durent plus longtemps !

Gilles Plante est gérant depuis 1992 de la boutique A. Roy Sports, établissement bien connu dans l'est de l'île de Montréal. « On voit les deux extrêmes, dit-il. Il y a les parents qui n'ont pas les moyens et qui prennent des patins trop grands pour qu'ils durent plus longtemps. À ceux-là, on dit que leur enfant passera un hiver difficile parce que non seulement il patinera plus péniblement, mais encore qu'il souffrira d'ampoules continuellement. Et quand le pied aura grandi, le patin aura été mal formé. On réussit à en convaincre certains de faire un choix mieux avisé et d'investir un peu moins dans une paire de gants au profit de patins de la bonne taille, quitte à les changer l'année suivante.

« Il y a aussi le parent qui veut payer le gros prix pour avoir les meilleurs patins sur le marché parce qu'il les a vus dans les pieds d'un joueur de la LNH, poursuit Gilles Plante. C'est une dépense inutile et ça peut même constituer un désavantage. Récemment, un fournisseur m'a offert des patins pour mon fils de 11 ans. Mon garçon les a utilisés une seule fois, il les trouvait trop rigides, les patins étaient trop haut de gamme pour son poids et sa force. »

La pointure des patins diffère de celle des chaussures. Il faut compter un point à un point et demi de moins pour les patins. Pour mes propres patins, j'opte pour deux points de moins. Plus le patin est petit, plus le hockeyeur améliore sa dextérité sur la glace. L'ancien défenseur étoile de la LNH Paul Coffey, l'un des meilleurs patineurs de l'histoire, poussait d'ailleurs l'exercice à l'extrême : il jouait avec des patins trois points plus petits que la taille de ses pieds. Il souffrait énormément pendant les matchs, mais il voulait maximiser son rendement. Il avait d'ailleurs déjà déclaré à la blague qu'il tentait de tromper ses pieds en leur faisant croire que plus ils poussaient fort, plus vite le match se terminerait et plus rapidement ils cesseraient de souffrir !

Ne faites surtout pas souffrir votre enfant comme Coffey a pu souffrir au cours de sa carrière. Quand les orteils atteignent l'extrémité du patin, vous devriez pouvoir insérer au maximum un doigt entre le talon et la bottine. Demandez ensuite à votre enfant de pousser son talon contre la bottine avant de commencer à lacer ses patins. Serrez fermement les trois premiers œillets, les trois suivants un peu moins et les deux ou trois derniers un peu plus. Il devrait y avoir un espace de 3,8 à 5,1 cm entre chaque œillet. Il est déconseillé d'enrouler les lacets autour de la cheville.

L'aiguisage des patins est primordial. Si votre enfant joue plus de trois fois par semaine, n'hésitez pas à faire aiguiser ses patins chaque semaine, de préférence au même endroit et par un spécialiste digne de confiance. Munissez-vous aussi de protège-lames, car les lames peuvent s'abîmer dans le sac en se frottant à une autre pièce d'équipement. Si votre enfant patine ou freine plus difficilement que d'habitude, ses patins sont peut-être mal aiguisés.

Les aiguiseurs ne sont malheureusement pas tous du même calibre. Il est toujours désagréable de constater que les patins des jeunes joueurs coupent mal tout de suite après un aiguisage. Et encore plus de voir ses enfants passer la première période d'un important match de tournoi en larmes sur le banc parce que leurs patins ne coupent pas. Papa ou maman doit courir vers la boutique de l'aréna pour remédier à la situation pendant que le match se poursuit.

Toujours dans le registre des performances, le bâton se classe en deuxième place par ordre d'importance, après les patins. Je ne conseillerai jamais à une famille ayant peu de moyens de dépenser une fortune pour l'achat d'un bâton. Mais si vous le pouvez et si votre enfant a atteint un niveau respectable, le prix peut faire une différence. En effet, plus le bâton est léger et plus les performances s'améliorent. Par contre, je ne dépenserai jamais 200 $ pour le bâton d'un enfant de niveau Pré-Novice ou Novice : ce serait du gaspillage, à moins que l'enfant terrorise déjà les gardiens adverses avec un tir foudroyant !

Pour ces enfants de niveau Pré-Novice et de première année Novice, je recommande des bâtons « Enfants » ou « Youth » plutôt que « Junior » parce que leur manche est plus petit et que ces bâtons coûtent moins cher. Choisissez de préférence des bâtons en graphite ou en titanium, car ils sont plus légers, donc plus faciles à manier. On passe généralement au bâton de taille « Junior » à la dernière année Novice ou à la première année Atome, selon la taille de l'enfant et, surtout, celle de ses mains.

Les enfants de moins de 10 ans brisent rarement leurs bâtons. Mais, à ma grande surprise, les fabricants ne mettent pas à la disposition du consommateur ces petites rallonges de bois comme ils le font pour les bâtons « Junior » ou « Senior ». Les parents se retrouvent donc généralement après quelques années avec des bâtons en bon état, mais trop petits pour leurs enfants. J'ai réglé le problème de façon très « artisanale » en taillant des bâtonnets du jeu Jenga (en vente dans la plupart des magasins de jouets). Après quelques coups de couteau et de rabot, j'ai constaté à ma grande satisfaction que la pièce s'insérait parfaitement dans le manche du bâton. Je venais d'épargner deux bâtons en très bon état pour une saison supplémentaire !

Le « flex », c'est-à-dire la mesure qui indique la flexibilité du bâton, n'a aucune importance tant que le jeune n'a pas terminé ses années Pee Wee ou commencé ses années Bantam. Ne négligez pas la longueur du bâton. Lorsque l'enfant est en souliers, le bout du bâton devrait être à la hauteur du nez de façon que sur patins, il soit plus ou moins à la hauteur du menton. Les défenseurs jouent généralement avec des bâtons plus longs que les attaquants pour permettre un meilleur harponnage. Un bâton plus court favorise en principe un meilleur maniement de la rondelle.

Au chapitre de la sécurité, le casque demeure la pièce d'équipement la plus importante. N'hésitez pas à payer plus cher pour un casque de qualité, surtout en raison du fléau des commotions cérébrales. La partie avant du casque doit frôler les sourcils et la mentonnière doit être bien ajustée. Voici un test facile à faire : demandez à votre enfant de faire pivoter sa tête de droite à gauche et de l'avant vers l'arrière. Le casque doit être stable sur la tête. « J'ai vu des nez cassés parce que la mentonnière n'était pas bien appuyée sur le menton, dit Gilles Plante. Le casque devrait être changé tous les trois ans. Avec le temps, le plastique peut sécher, se fendre ou même exploser. »

Les gants doivent être souples et confortables, tout en protégeant les mains et les poignets. Il devrait y avoir un espace d'un demi-centimètre entre le bout des doigts et l'extrémité du gant. Le coude et le gant doivent se chevaucher pour protéger l'avant-bras. Aucune partie du bras ne devrait d'ailleurs être exposée entre le haut du coude et les épaulières. Celles-ci doivent couvrir le haut des bras, la poitrine et les omoplates, et jouxter la culotte. Choisissez une culotte avec un rembourrage de qualité de façon à bien protéger le coccyx et les reins. Enfin, les jambières (ou protège-tibias) sont généralement un peu plus grosses pour les défenseurs que pour les attaquants puisque les premiers sont plus exposés aux tirs. Les jambières chevauchent la culotte et elles ne devraient pas laisser un espace de plus de 2,5 cm avec le patin.

« Un parent qui voudrait équiper son tout-petit de A à Z doit s'attendre à payer autour de 350 $, mentionne Gilles Plante. Il est possible de trouver un bâton pour 20 $ ou 25 $, donc un total de moins de 400 $. La plupart des pièces d'équipement peuvent durer quelques années, sauf les patins. »

CHAPITRE

LA VICTOIRE

J'ai vécu, en avril 2013, une expérience plutôt unique et, ma foi, franchement agréable. Les deux équipes rivales dans la catégorie Atome CC de Versant Ouest s'affrontaient dans un match amical pour clôturer la saison. Les parents des deux clubs étaient assis ensemble. Les blagues fusaient et l'on suivait le jeu, mais sans s'empêcher de discuter, à l'occasion. Il n'y avait pas de cris à l'endroit des enfants sur la glace, contrairement à ce que j'ai pu remarquer à de nombreuses reprises en saison régulière ou lors des séries, ni regards hostiles envers l'arbitre et les entraîneurs.

Pourquoi l'ambiance ne serait-elle pas toujours aussi agréable ? Pourquoi la victoire devient-elle si importante en saison régulière et en séries, que ce soit au niveau Atome CC, Midget B, Novice

C ou Bantam BB ? Pourquoi laisse-t-on si souvent nos émotions prendre le dessus, alors que l'enjeu n'est pourtant **jamais** crucial ?

Posons-nous tous la question : en quoi la victoire et, par ricochet, la performance de nos enfants sont-elles si importantes ? Pourquoi sommes-nous parfois déçus après une défaite ?

1 - Parce que nous aimons nos enfants et que nous n'aimons pas les voir confrontés à l'échec.

Les déceptions et les échecs font partie de la vie. En ce sens, le sport permet justement à l'enfant de composer dès son jeune âge avec eux. Il aura des peines d'amour, il ratera un emploi rêvé, etc. Laissons-les gérer leurs émotions et cessons de les couver.

2 - Parce que notre orgueil de parent prend le dessus ? Nous voulons que notre enfant devienne l'athlète que nous avons rêvé d'être, nous voulons connaître une certaine forme de « succès » par l'entremise de nos enfants ?

On ne le répétera jamais assez : avouez que vous ne détestez pas battre l'équipe rivale à l'occasion.

Vous aimez bien voir votre fils ou votre fille se qualifier au sein des meilleures équipes. Pour elle et lui ou pour vous ? Moi-même, je dois l'avouer, mon orgueil d'entraîneur prend parfois le dessus. Je préfère une fiche gagnante à une fiche perdante, même si je m'efforce de ne jamais le laisser paraître devant mes troupes. Je tente du mieux que je peux de chasser cet orgueil mal placé. J'y arrive souvent, mais il faut parfois que je me rappelle à l'ordre : je ne suis pas encore parfaitement zen. Malgré tout, je ne *coache* jamais en fonction de la victoire et jamais je ne demanderai aux enfants de jouer pour gagner. Mais l'effort et la rigueur sont exigés.

3 - Parce que la victoire permettra à votre enfant de mieux se développer et d'être remarqué en vue des niveaux supérieurs ?

(Je n'ai pas bien entendu... Qu'avez-vous dit ?)

4 - Parce que la victoire est agréable ?

Mais oui, en voilà une belle raison ! Parce que la victoire est agréable ! Parce que nos efforts ont produit un résultat et que nous avons la satisfaction du devoir accompli ! Mais ne perdons jamais de vue que la défaite, si elle est moins séduisante, a aussi des effets très bénéfiques. Elle forge le caractère et permet d'apprécier encore plus les succès futurs. Et parce que nous ne contrôlons pas une foule de facteurs – la performance de l'adversaire, par exemple –, il faut se satisfaire autant d'une brillante performance dans la défaite que d'une victoire sans gloire ni effort.

LA PRESSION SUBTILE...

Les séries battent leur plein. C'est un des moments excitants de l'année pour les enfants et, par ricochet, pour les parents aussi.

J'applaudis ceux qui arrivent à faire preuve du détachement nécessaire et qui laissent simplement leurs fils ou leurs filles « jouer ». Ce recul permet aux enfants de ne pas subir de pression inutile et aussi de s'approprier leur sport. Le jeune hockeyeur doit jouer pour ses coéquipiers, pour son entraîneur et pour lui-même – et pour personne d'autre.

Après un but, l'enfant devrait avoir le réflexe de se lancer dans les bras de ses coéquipiers et non pas de se tourner vers ses parents. Un jour, j'ai été étonné d'entendre, à l'aréna de Mont-Royal, un père lancer à son fils après un entraînement: «T'étais le plus poche!» Je n'arrive pas à oublier le visage défait de ce garçon de huit ans: il n'y a rien de pire que de jouer avec la crainte de subir la honte de ses parents.

Il y a d'autres formes de pression, plus subtiles, mais tout aussi négatives. Les parents ne sont pas nécessairement de mauvaise foi, mais combien de fois entend-on: «Oublie pas de patiner», «Ouais, c'était pas ton meilleur match», «T'es capable de beaucoup mieux», «Compte un but pour papa», «Vous pouvez pas perdre celle-là».

Il revient à l'entraîneur de motiver ses joueurs. Aux parents, on demande d'appuyer leurs enfants, de les encourager, de les aimer, de leur remonter le moral et, dans un monde idéal, de leur parler de tout sauf de hockey. J'adore voir un père ou une mère prendre son enfant par l'épaule après un match et lui demander tout simplement: «T'as aimé ton match? T'as faim?»

D'ailleurs, Hockey Québec rappelle sur son site Web les sept grandes responsabilités des parents:

1 - Comprendre que mon enfant a le droit de s'amuser à travers l'activité de son choix et selon son bon plaisir, et non le mien.

2 - Respecter les décisions prises par les dirigeants responsables mandatés pour le faire.

3 - Faire confiance aux entraîneurs et aux administrateurs responsables de placer mon enfant dans un contexte d'apprentissage prévoyant son développement physique, social et psychologique.

4 - Faire preuve de tolérance, de patience et être un exemple de comportement pour mon enfant, en phase critique de développement.

5 - Me conformer aux exigences administratives relatives à la sécurité dans les sports et adopter en tout temps des comportements exempts de toute forme de violence, verbale ou physique.

6 - Traiter avec dignité et respect tous les participants et intervenants associés à l'activité à laquelle mon enfant participera : officiels, adversaires, entraîneurs, joueurs, administrateurs, autres parents et bénévoles.

7 - Accepter que mon enfant participe à une activité récréative lui offrant un défi à sa mesure et considérer les erreurs de jeu comme source d'apprentissage et non pas une occasion de réprimande.

L'auteur à succès américain Tim Elmore, président et fondateur de « Growing Leaders », entreprise spécialisée dans la formation des leaders de demain et conférencier international en la matière, suggère aux parents quelques phrases clés à répéter avant et après les performances sportives.

AVANT UN MATCH :
- ***Amuse-toi.***
- ***Travaille fort.***
- ***Je t'aime.***

APRÈS UN MATCH :
- ***As-tu eu du plaisir ?***
- ***Je suis fier de toi.***
- ***Je t'aime.***

Simple, n'est-ce pas ? Essayez pour voir.

Cela me rappelle un épisode vécu au début de la saison 2013. Des parents gâteau hyper gentils, doux et affectueux envers leur enfant, que je soupçonne d'ailleurs d'aimer le hockey autant, sinon plus, que leur garçon, ce qui est tout à fait correct, car ils vivent de beaux moments en famille grâce à ce sport. Mais, avant chaque match, ils lançaient ces petites phrases: «Es-tu en forme pour nous compter un but?» «Oublie pas de lancer.» «Je sais que tu es capable de compter.»

Tout tournait autour de l'importance de marquer. Après six matchs, le garçon n'avait toujours pas compté. Le père me dit ne pas comprendre, ajoutant que son garçon semble stressé pendant les matchs et qu'il ne joue pas de façon aussi détendue que lorsqu'il pratique. Je lui réponds gentiment que je comprends son fils d'être stressé à force de se faire demander, même doucement, s'il va marquer des buts... Je lui suggère de cesser de lui parler de buts ou même de hockey en général et lui dis que je me charge de parler à son fils.

Avant le début du match suivant, je m'assois avec le jeune de huit ans et lui demande innocemment combien de buts j'espère qu'il comptera dans le match sur le point de commencer. Il me montre trois doigts, je lui réponds que non. Il enlève un doigt, je lui réponds qu'il n'y est toujours pas. «Écoute-moi bien, lui dis-je. Tu pourrais ne pas marquer un but de la saison, je m'en moque complètement. Je te demande seulement de travailler fort, de te battre pour la rondelle et de… T'AMUSER! Compris?»

Un sourire est venu illuminer son jeune visage. J'ai inséré le jeune dans ma formation partante. Devinez ce qui s'est passé dès sa première présence sur la glace: il a bondi sur une rondelle libre, lancé en direction du filet adverse et compté son premier but de la saison…

CALMEZ-VOUS LA TROMPETTE!

Notre premier tournoi Novice A à Québec n'a pas duré très longtemps: deux dégelées de 7-0 lors de matchs arrêtés avant le début de la troisième période en raison de l'écart de buts. Les parents de nos adversaires étaient, disons, très enthousiastes. Lors du second match, un père était, disons-le poliment, très porté sur l'insupportable trompette de plastique. À 6-0, notre petit gardien avait la mine bien basse, tandis que le son des trompettes résonnait aux quatre coins de l'amphithéâtre…

Du haut de ses 5 pieds 2 pouces, Kim, la mère de notre gardien de sept ans, s'est alors levée de son siège pour se rendre à l'autre extrémité de l'aréna, a arraché la trompette des mains du monsieur et l'a mise à la poubelle ! « Mon garçon a sept ans, il vient d'accorder six buts et il pleure. Vous nous massacrez et le match est sur le point de se terminer. Avez-vous besoin de souffler dans votre trompette à 6-0 ? Est-ce possible de respecter un peu plus l'adversaire et ces pauvres enfants ?»

Abasourdi, l'homme s'est confondu en excuses, ce qui l'a honoré puisque tous n'ont pas l'humilité dans l'excitation d'un match de marcher ainsi sur leur orgueil et offrir leurs excuses. Avait-il été surpris par la témérité de cette mère ou était-ce plutôt la présence derrière elle de son mari, Jonathan, un colosse tranquille de 6 pieds 8 pouces et pesant 305 livres ? L'épisode s'est bien terminé et, depuis ce jour, nous en rigolons toujours ensemble. Kim porte désormais le surnom de « *horn police* ».

J'ai repensé à Kim au printemps 2013 lors d'un match de calibre AAA chez les Princes 2006 lors d'un match à Laval. Les partisans du Titan étaient non seulement bruyants, mais aussi hostiles, et les trompettes étaient nombreuses. Quand un des parents de notre équipe a timidement rappelé à une mère du camp adverse qu'il s'agissait d'un match opposant des enfants de six et sept ans, la réponse a été un spectaculaire doigt d'honneur... Nous les avons laissés jouer de la trompette pendant tout le match même après qu'ils eurent pris une avance de 7-2. Il n'était pas question de répéter le numéro de notre «*horn police*», car les choses auraient vite tourné au vinaigre.

Pendant la présentation des médailles à nos joueurs, ils ont continué leur tintamarre. On n'entendait même pas l'annonceur prononcer les noms de nos enfants. J'ai quitté l'aréna, contrarié : je peux comprendre la joie d'un parent à la suite du succès de son enfant, mais pas au point d'ignorer complètement l'existence de l'adversaire.

«Parfois, certains parents ne réfléchissent pas», explique Marc-Simon Drouin, professeur au Département de psychologie de l'UQAM. «Ils sont totalement dans leur bulle et ne réalisent pas que leur plaisir a un impact sur l'autre. Ou encore, il y a ces parents sadiques qui retirent du plaisir au fait d'écraser les autres. Pour eux, il y a des gagnants et des perdants et ils ne veulent surtout pas être des perdants. Alors, quand il y a un perdant, ils ne prennent pas de chance, ils l'identifient pour être bien certains qu'ils n'appartiennent pas à ce groupe-là. Ça rehausse, mais de façon très temporaire, l'estime de soi. Un peu comme un Big Mac, ça *bourre*, mais ça ne nourrit pas. »

VOTRE ENFANT N'A PAS ÉTÉ RETENU DANS L'ÉQUIPE D'ÉLITE ?

C'est la même histoire chaque année : des parents crient au scandale parce que leurs enfants n'ont pas été retenus au sein de l'équipe de niveau supérieur pour laquelle ils espéraient jouer. Généralement, le parent se plaindra aux responsables du hockey mineur en prétextant que son enfant est triste d'être ainsi séparé de ses amis. Ou encore que le niveau inférieur dans lequel il va jouer nuira à son développement à long terme. Mais est-ce que ce sont là les vraies raisons ? N'est-ce pas d'abord notre orgueil, ou la crainte que l'orgueil de notre enfant soit blessé, qui est piqué ?

J'ai moi-même déjà été pris au jeu, je l'avoue. Mais après avoir pesé le pour et le contre, j'ai avalé ma pilule et choisi de voir le côté positif des choses.

En jouant dans un niveau inférieur, les enfants ont l'occasion de toucher à la rondelle plus souvent, ils occupent un rôle plus important au sein de l'équipe et ils se développent davantage. Je comprends maintenant pourquoi, par exemple, des régions comme celle du Lac-Saint-Louis, dans l'ouest de l'île de Montréal, hésitent beaucoup à surévaluer les jeunes : leurs dirigeants préfèrent les voir dominer à outrance avec les garçons ou les filles de leur âge plutôt que de les faire jouer avec des jeunes plus âgés.

Cette notion s'est renforcée en moi lorsque j'ai organisé un camp « Espoirs » à Outremont et Mont-Royal pendant la période des Fêtes, en 2011. L'idée était de sélectionner les cinq meilleurs joueurs nés chaque année entre 2003 et 2007 et de les réunir sur une même glace pendant trois jours. Notre directeur technique Luc Rivard et moi avons eu cette idée en prenant connaissance des camps estivaux organisés en Suède, initiative qui a contribué à relancer le développement des joueurs d'élite là-bas. Le concept est simple : les meilleurs jouent avec les meilleurs et peuvent ensuite transmettre leurs nouvelles connaissances au sein de leur club respectif selon le principe de l'émulation.

J'ai été très étonné en prenant connaissance des noms des cinq joueurs sélectionnés dans le groupe d'âge 2004, c'est-à-dire en deuxième année Novice. Trois des cinq avaient joué au niveau Novice B l'année précédente. Les deux autres avaient évolué au niveau A. Ces trois joueurs du B avaient réussi en moins d'un an à surpasser au moins quatre joueurs qui avaient évolué en A l'année précédente. Ces trois joueurs du B avaient pu marquer des buts à profusion l'année précédente, tandis que ceux du A, dont deux que j'ai dirigés, peinaient à toucher à la rondelle et à suivre le rythme.

Alors, voici mon conseil : ne paniquez plus si votre enfant ne se retrouve pas dans le A, AA ou BB à sa première saison dans une catégorie !

»» LA PAROLE AUX ENFANTS ««

CHARLES-ANTOINE PRATT, 12 ANS

Charles-Antoine adore presque tout du hockey. Mais s'il pouvait changer quelque chose, ce serait le comportement des parents dans les gradins.

« Quand ils ripostent aux arbitres ou qu'ils insultent les joueurs ou les officiels, ça me déconcentre. Ils devraient imposer une punition à l'équipe si les parents exagèrent. »

Le jeune homme pratique aussi le baseball au niveau élite. À son avis, les spectateurs qui affectionnent ce sport sont généralement plus calmes. « C'est moins agressif. Ils regardent le jeu, ils ne parlent pas beaucoup. C'est un jeu qui va moins vite, qui est moins robuste. C'est peut-être l'explication. Au hockey, les parents ont peut-être peur de voir leur enfant se faire blesser. »

Si Charles-Antoine n'avait qu'un seul choix, il opterait pour le hockey. « C'est ma grande passion et je le pratique depuis plus longtemps. C'est un jeu rapide et robuste. C'est intense. C'est une grosse compétition. Au baseball, on a moins de chances d'avoir la balle, c'est moins collectif. »

Charles-Antoine fréquentera le collège Brébeuf cet automne et il espère être choisi au sein de l'équipe. « Mes amis y sont, on se connaît bien, ça devrait nous aider à bien jouer collectivement », conclut-il.

LAISSEZ VOS BLESSURES NARCISSIQUES AU VESTIAIRE !

Quelques années passées dans le milieu du hockey mineur suffisent à confirmer que souvent, les enfants démontrent plus de maturité et de sérénité que les parents. Il m'est arrivé fréquemment de voir un enfant épanoui et heureux avec son équipe et ses coéquipiers, et un père malheureux qui se plaint du temps d'utilisation de son fils et de ses partenaires de trio, et qui prétexte que la situation affecte profondément son fils. Vraiment ?

Il y a quelques années, un de nos entraîneurs au niveau Atome a demandé à deux de nos joueurs comment ils réagiraient s'ils étaient rétrogradés dans l'équipe de division 2. Les deux amis ont répondu que cela leur importait peu pourvu qu'ils restent ensemble au sein du même club. Les deux ont finalement été rétrogradés. Les parents du premier ont bien réagi et ont accepté la décision sans broncher, estimant qu'il progresserait peut-être mieux ainsi. Le père du second a fait une crise épouvantable : il a finalement donné signe de vie une semaine plus tard et annoncé que son fils et lui changeaient d'organisation.

Nous avons pu en discuter longuement, car j'étais assez proche de ce père. J'ai compris d'où venait son désarroi quand il m'a confié sa propre expérience de jeunesse : « J'ai changé de ville à 11 ans, ils ne me connaissaient pas et ils m'ont retranché de façon injuste du Pee Wee BB et la même affaire se produit avec mon gars !» La décision l'affectait lui, surtout, et non son fils.

« On a tous des blessures dont nous sommes plus ou moins conscients et les blessures à l'estime de soi sont les pires », affirme un professeur en psychologie de l'UQAM, Marc-Simon Drouin. « Toutes ces blessures non résolues à l'enfance peuvent resurgir dans le hockey mineur et provoquer des conflits parce que plusieurs parents ont leurs propres besoins conscients et moins conscients. Dans les besoins conscients, tu peux avoir envie que ton garçon aille bien et qu'il ait du plaisir. Mais tu as aussi des besoins moins conscients qui vont se manifester. Comme réparer ton estime de soi : essayer d'éviter à ton enfant des blessures que tu as pu subir et essayer de lui procurer quelque chose sans jamais vérifier si c'est ce qu'il voulait. »

Selon ce psychologue, le passé d'un être humain teintera son rapport au succès et à l'échec. « Pour les parents dont les échecs n'étaient pas nécessairement une catastrophe, mais plutôt un apprentissage ou l'occasion de mesurer leurs forces et faiblesses, l'échec de leur enfant sera moins difficile à avaler. Tu peux gagner et perdre avec dignité. La défaite ne fait pas de toi *un moins que rien*, tu es simplement *moins bon dans ce domaine*. Ce n'est pas la même chose. Dans le cas cité plus haut, il s'agit sans doute d'une vieille blessure non réparée et ce parent n'a jamais pu dire ce que ça lui avait fait à lui d'être retranché. Quand il voit la même chose se reproduire avec son fils, il n'y a plus de distance possible. Cela dit, il peut aussi dans certains cas y avoir un sentiment d'injustice et tu peux chercher à avoir réparation. Il faut savoir différencier les deux. »

En raison de ces blessures non cicatrisées survenues pendant l'enfance, l'enfant peut devenir le miroir narcissique du parent, d'où la pression excessive que certains peuvent exercer sur leur progéniture. « Certains parents nourrissent leur estime de soi dans ce que leur enfant accomplit parce qu'ils ne sont pas capables de se nourrir de leur propre réussite», explique le psychologue.

«L'estime de soi est très fragile. Sous des apparences de réussite, des parents peuvent être très vulnérables par rapport à l'image qu'on leur renvoie d'eux-mêmes. Un enfant qui a des troubles d'apprentissage, par exemple, ce n'est pas agréable. C'est très douloureux pour un parent. Ça veut dire beaucoup d'investissement en temps. Ça veut dire que son avenir est peut-être hypothéqué. Ça fait mal. Mais il y a une énorme différence entre faire mal et blesser l'estime de soi. L'enfant ne doit pas devenir le complément narcissique des parents parce que tu risques d'oublier son réel potentiel et ses désirs à lui.

« C'est épouvantable de demander à un enfant de compter un but pour son père, poursuit Marc-Simon Drouin. Il peut lui demander de faire un effort, de bien jouer, mais pas lui passer une commande précise. L'enfant devrait avoir le droit de jouer comme il le peut. En lui commandant une performance, on est en train de dire que le lien avec son parent risque d'être affecté par la façon dont il va jouer. Il ne se sentira peut-être pas bien ce jour-là. C'est déplorable.

« Quand j'entends un parent dire que son enfant lui fait honte, j'ai envie de sauter au plafond. Comment ton enfant peut-il te faire honte ? Tu peux être gêné ou mal à l'aise parce que ton enfant a fait un geste inapproprié, mais ton enfant, ce n'est pas toi. Tu peux en revanche l'aider à se construire et à gérer son comportement. Le parent qui a honte de son enfant n'est pas différencié de lui, ce que son enfant fait l'affecte dans son estime de lui. Et en conséquence, il aura le réflexe de lui imposer une pression énorme et inutile. Quand tu te mets à penser que ce que fait ton enfant t'appartient, tu es dans le trouble… »

Le parent qui bout après une mauvaise performance de son enfant aurait intérêt à se tenir coi. « Il faut se la fermer, calmer le jeu, accueillir cet enfant-là et se rappeler qu'il faut faire la différence entre ce qui appartient au parent et ce qui appartient à l'enfant. On peut demander à son fils qui s'est traîné les pieds ce qui n'allait pas. Mais il faut écouter la réponse. Il se peut qu'il soit blessé psychologiquement ou physiquement. Ça ne veut pas dire d'éviter de stimuler l'effort ou le besoin de dépassement. La performance, ce n'est pas une tare génétique, dans la mesure où l'enfant aime ça lui aussi. »

CHAPITRE

#4

DANS LA TÊTE D'UN ENFANT

ATTAQUES DE PANIQUE

Au début, je me demandais ce qui n'allait pas. Depuis deux matchs, un de mes joueurs en Novice A, sept ans à peine, me disait, paniqué sur le banc des joueurs, qu'il croyait avoir avalé une partie de son protecteur buccal. Puis, lors des matchs suivants, il se disait en plus incapable de respirer, le cœur serré au point de claquer, et il demandait de rester sur le banc, incapable de jouer.

J'ai fini par comprendre. Un après-midi, avant un match de tournoi, j'ai découvert avec lui, après en avoir discuté avec ses parents, ce qu'il vivait : anxiété et attaque de panique. Je lui ai dit que son entraîneur le comprenait, qu'il avait vécu ces sensations désagréables étant jeune, qu'on voudrait chasser de tels démons le plus rapidement possible, mais qu'il n'y avait pas d'autre solution que de tenter de se calmer et d'attendre que la tempête passe.

Je lui ai juré que je serais là pour lui à tout moment pendant la rencontre et que je comprenais très bien ce qu'il vivait. Mon collègue et entraîneur Stéphane Quintal a fait de même et on a inséré le jeune dans la formation partante afin qu'il ne réfléchisse pas trop sur le banc des joueurs au début de la rencontre.

Nous avons perdu 4-2, mais notre jeune joueur a compté nos deux buts, a joué comme un dieu et a été choisi joueur du match ! Encore mieux, il a quitté l'aréna avec un sourire radieux, se permettant même de dire à brûle-pourpoint à ses voisins de vestiaire après la rencontre : « Moi, j'adore ça le stress ! »

Il est arrivé au match suivant avec son bracelet antistress. Il parle ouvertement de son stress avant la rencontre avec ses camarades et je crois que ça le libère. Je sais aussi que le garçon a commencé à consulter un psychologue pour trouver des solutions à ses problèmes d'anxiété.

« Si on observe un changement chez l'enfant, c'est qu'il est peut-être en train de se passer quelque chose, explique le psychologue Marc-Simon Drouin. Mais le temps manque – c'est le problème dans le hockey mineur –, les gens sont mal préparés, avec des enfants qu'ils n'ont pas choisis. Et ce n'est pas nécessairement dans la culture du hockey de comprendre, d'expliquer et de communiquer... »

Et pourtant, le monde du hockey change réellement. Il y a quelques années, j'avais interviewé l'entraîneur Ken Hitchcock. Cet entraîneur réputé m'a toujours accordé une ou deux interviews par saison. Hitchcock est l'un des personnages les plus affables du monde du hockey avec les médias, mais il a aussi la réputation d'être un meneur d'hommes féroce et parfois même cruel. Ce jour-là, il m'avait étonné en déclarant qu'il avait changé son style, qu'il s'était adapté à la nouvelle génération et qu'il avait même lu une foule de bouquins pour mieux comprendre la génération Y.

Si Ken Hitchcock sent le besoin d'étudier une génération de hockeyeurs de la LNH pour mieux les comprendre, si les grands athlètes de ce monde ont besoin désormais de psychologues sportifs, imaginez un peu ce qui se passe parfois dans la tête d'un enfant de sept ans...

Je recommande la patience à tous les entraîneurs, ainsi que la compréhension, l'ouverture et le dialogue. Le garçon ou la fille qui paralyse sur la glace ne le fait pas nécessairement par paresse. Il y a des blessures psychologiques, des angoisses ou des questionnements qui se guérissent parfois plus facilement qu'on pourrait le croire. Il faut seulement savoir écouter les jeunes. Et c'est loin d'être perdu : vous contribuez au mieux-être d'un enfant momentanément désemparé et vous récupérez peut-être un super joueur pour votre club !

MODÉRONS NOS ATTENTES... MALGRÉ LE TALENT !

Même s'il avait seulement sept ans et qu'il en était à sa première année dans le Novice A, je n'avais pas hésité à faire d'Adrien l'un de mes deux capitaines. Je le dirigeais depuis deux ans dans le Pré-Novice, il avait non seulement beaucoup de talent, mais il avait aussi l'intelligence du jeu, du sang-froid et la capacité de se signaler dans les moments de haute tension. En demi-finale d'un important tournoi, le printemps précédent, Adrien avait marqué le but égalisateur dans les derniers instants de la rencontre, et le but gagnant en prolongation. Malgré son jeune âge, il montrait une maturité impressionnante et aucun défi ne semblait trop ardu pour lui.

Évidemment, à cet âge, le titre de capitaine demeure symbolique. On ne demande pas aux jeunes de grands discours dans les vestiaires comme le font les plus vieux. Ils se contentent de mener par l'exemple. Je leur confiais néanmoins une petite mission : lors de l'échauffement d'avant-match, ils devaient taper du bâton sur la glace quand les joueurs avaient complété un premier tour dans notre zone pour indiquer le changement de direction. Après le deuxième tour en sens inverse, ils devaient répéter l'exercice pour que leurs coéquipiers fassent un troisième et dernier tour, à reculons cette fois. Bref, un petit geste banal, une fleur que je leur faisais à titre de leaders du club.

Après les premiers matchs, Adrien m'a demandé si c'était possible de le laisser sauter sur la glace parmi les premiers avant les matchs, afin qu'il soit en mesure de bien faire respecter la routine quand ses compagnons commenceraient leurs tours. Je le trouvais bien rigoureux et méthodique.

Une semaine plus tard, sa mère a demandé à me rencontrer pour que je lui donne des trucs afin d'aider son fils à mieux s'acquitter de sa tâche lors des échauffements. Ce petit rituel banal à mes yeux le stressait énormément, encore plus que le match qu'il devait disputer. Il en faisait des angoisses plusieurs jours à l'avance !

Je me suis assis avec lui. Je lui ai demandé s'il voulait continuer à frapper du bâton pendant le réchauffement. Il m'a dit que si c'était possible, il préférerait laisser cette mission à quelqu'un d'autre. Il a paru soulagé. Moi aussi. Je m'en suis un peu voulu de n'avoir rien vu. Il peut s'en passer des choses dans la tête d'un petit bonhomme, des trucs qu'on ne soupçonnerait jamais !

Plus tard dans l'année, il m'a demandé de jouer en défense plutôt qu'au centre. Il est plutôt inhabituel qu'un enfant de cet âge demande de jouer en défense plutôt qu'au populaire poste de centre. Le père, un bon ami, m'appelle : « Je ne sais pas ce qui se passe. Je me demande si c'est vraiment parce qu'il veut jouer en défense ou s'il ne se met pas trop de pression au centre. C'est rendu qu'il ne parle que de bloquer des tirs, il évoque plus souvent Douglas Murray que Brendan Gallagher... »

Autre conversation avec le garçon. Je lui explique qu'il est brillant au poste de centre. Que je ne lui demande pas de compter des buts, mais de travailler fort. Que le poste de centre lui permet non seulement de se porter à l'attaque, mais d'aider les défenseurs et même, parfois, de bloquer des tirs quand il le souhaite. Souvent, je nomme à titre comparatif un joueur de la LNH pour mieux faire passer mes idées. Je lui parle de Tomas Plekanec, par exemple, qui travaille très fort défensivement et qui n'a pas la pression de porter le club sur ses épaules offensivement. À l'ailier qui veut absolument jouer au centre, mais qui n'a pas les outils pour le faire, je lui rappelle qu'Alex Ovechkin, Brendan Gallagher et Martin St-Louis jouent à l'aile...

« C'est agréable de donner des responsabilités à un enfant, mais il faut aussi lui demander s'il est à l'aise dans tout ça, explique le psychologue Marc-Simon Drouin. Ces responsabilités peuvent parfois devenir écrasantes. On les place dans un rôle pour lequel ils n'ont pas été préparés. Tout le monde n'est pas à l'aise avec un statut particulier. Parfois, il peut aussi se dire des choses méchantes dans un vestiaire. Un jeune capitaine peut se faire traiter de *show off* entre autres choses. La jalousie n'est pas à écarter. L'enfant ne sait pas nécessairement que le titre de capitaine vient avec une espèce d'aura, il ne sait pas ce que ça implique. »

Mon jeune capitaine a terminé la saison au centre. Malgré ses épisodes de stress, je ne me souviens pas qu'il ait disputé un seul mauvais match. Mais je suis content d'avoir pu être à son écoute. C'est lui, ce petit enfant plutôt réservé et stoïque, qui m'a fait le plus beau câlin en fin de saison. Ce seul geste vaut bien un an de bénévolat !

UN MÉTIER DIFFICILE, CELUI DE GARDIEN

J'ai compris à quel point la vie de parents d'un gardien de but pouvait être difficile lors d'un reportage dans la famille de Jocelyn Thibault dans leur bungalow de Fabreville, à la fin des années 1990, quand celui-ci jouait pour les Canadiens de Montréal.

Jocelyn Thibault avait la délicate tâche de remplacer Patrick Roy à Montréal. Une pression cruelle pour un jeune homme au début de la vingtaine obtenu de l'Avalanche du Colorado en échange de Roy, à l'occasion de la première ronde des séries éliminatoires entre les Canadiens et les Rangers de New York, en avril 1996.

Mon patron m'avait affecté chez les Thibault pour regarder avec eux le premier match de la série, présenté au Madison Square Garden. Je me souviens encore aujourd'hui de l'air terrifié de la mère de Jocelyn chaque fois que Mark Messier ou un coéquipier menaçait le filet des Canadiens. Elle avait passé la troisième période et la prolongation à l'étage sans télé ni radio tellement le stress lui était devenu insoutenable. Les cris de joie de son mari, lorsque Vincent Damphousse a compté le but gagnant, l'ont ramenée au sous-sol. Il s'agissait ce soir-là d'une des rares fois où elle avait accepté de regarder des bouts de matchs à la télé. Vous devinerez qu'elle n'allait jamais au Centre Molson (son nom à l'époque).

J'ai repensé à Micheline Thibault dernièrement, lors d'un match de finale de notre équipe Atome. Le père de notre gardien, déjà stressé durant la rencontre, a quitté les estrades pendant la période de prolongation tellement l'angoisse le tenaillait. On ne parle pas du successeur de Patrick Roy ni d'une rencontre disputée devant 20 000 spectateurs, mais d'un match entre des garçons de 10 et 11 ans... « Je ne le recommande pas aux autres parents, confie le père. C'est difficile pour les parents, mais c'est difficile pour l'enfant aussi. Je ne souhaitais pas qu'il choisisse cette position, mais c'était sa volonté. Il y a beaucoup de situations stressantes. Si l'adversaire compte sur le premier tir, ça décourage le gardien et l'équipe au complet. S'il se commet deux ou trois erreurs en défensive et que le gardien accorde le but par la suite, on critiquera le gardien même si celui-ci n'a pas commis d'erreur. Les matchs de 0-0, les prolongations, c'est insoutenable. La marge d'erreur est nulle, c'est le gardien qu'on regarde. Tout est exacerbé : le gardien est le héros si on gagne, mais le bouc émissaire si l'on perd. »

Il y a ce stress pendant les matchs, mais aussi toute cette préparation qui, elle aussi, joue sur les nerfs du protagoniste et de son entourage. J'avais entendu ces histoires sur Glenn Hall, l'un des grands gardiens de l'histoire de la LNH, qui, disait-on, vomissait avant chaque match, puis buvait du jus d'orange pour retrouver son aplomb.

J'ai vécu de près un épisode semblable avec ce même jeune gardien évoqué ici, lors de la saison qui a précédé. Pendant trois ou quatre mois cet hiver-là, il n'arrivait plus à contrôler son stress avant les matchs. Il passait de longs moments dans les toilettes et se plaignait de maux de ventre. Il refusait de sauter sur la glace et pleurait en disant qu'il avait trop mal au ventre pour jouer.

Nos encouragements ne suffisaient pas. On laissait l'enfant retrouver sa mère ou son père dans le corridor jouxtant le vestiaire ou dans les estrades pour qu'il se fasse rassurer et accepte finalement de disputer son match. Mais après quelques semaines, même l'intervention de ses parents était devenue inutile en dépit du fait qu'il demandait à les voir chaque fois.

J'ai eu plusieurs discussions avec les parents. Je leur ai même suggéré d'inciter leur garçon à abandonner puisque ce rôle était en train de le rendre malade. Chaque fois, ils me répondaient qu'ils en avaient parlé avec lui et qu'il ne voulait pas cesser d'être gardien. Mais les maux de ventre persistaient toujours. Il restait une option : lui interdire de parler à ses parents avant les matchs et cesser tout dialogue avec lui dans l'heure précédant la rencontre. Bref, le laisser, seul dans sa bulle, se débrouiller avec son anxiété puisque toutes les autres formules s'étaient révélées vaines. Les maux de ventre ont disparu comme par enchantement. L'année suivante, pas le moindre stress, du moins en surface, et seulement 12 buts accordés en 18 matchs pendant la saison...

« On a évoqué avec lui la possibilité d'abandonner, dit le père, mais dans sa tête, ça n'a jamais été une option. Il n'a même jamais parlé de prendre une pause. Le fait d'avoir été le seul gardien l'hiver suivant a semblé l'aider car, avec deux gardiens, il y a toujours une échappatoire. De notre côté, nous avons tenté d'attacher de moins en moins d'importance à tout ça et la stratégie a fonctionné. »

Le Québécois Sébastien Farrese est depuis plusieurs années l'entraîneur des gardiens des Bulls de Belleville, de la Ligue de hockey de l'Ontario (OHL). Il a formé Malcom Subban, repêché par les Bruins de Boston et frère de P. K. Il œuvre également au sein des programmes d'élite à Hockey Canada.

« Il faut être un peu fou pour choisir ce métier, dit-il en riant. Tout le monde blâme le gardien en cas d'échec et les entraîneurs ont tendance à leur imposer beaucoup de pression. C'est la fin du monde si le gardien donne un mauvais but, même dans les niveaux inférieurs. Il faut être très fort psychologiquement. J'irais même jusqu'à dire que le succès d'un gardien repose sur au moins 75 % de force morale et 25 % de capacités athlétiques. La plupart des gardiens que je dirige ont une moyenne supérieure à 85 % à l'école. Ils ont une capacité de concentration supérieure à la moyenne. »

Physiquement, le gardien moderne doit s'attendre à recevoir des tirs de plus en plus puissants. « Il faut être casse-cou aussi, ajoute Sébastien Farrese. L'équipement les protège mieux, mais les lancers sont quand même terrifiants et ils n'hésitent pas à défier l'adversaire, même sur de courtes distances. »

Les entraînements spécifiques aux gardiens sont beaucoup plus poussés aujourd'hui. En 1986, François Allaire est devenu le premier entraîneur à temps plein des gardiens dans la LNH. De nos jours, même les clubs Midget et Junior d'élite confient les gardiens à des entraîneurs. Sébastien Farrese estime néanmoins qu'on pourrait en faire un peu plus du côté des débutants.

« À défaut d'avoir un entraîneur des gardiens, il faut au moins intégrer ceux-ci à l'équipe pendant les entraînements et les matchs. Pas seulement pour que les gardiens servent de chair à canon pour les joueurs pendant les entraînements, mais aussi leur parler, les encourager et leur donner une petite tape sur l'épaule entre les périodes pendant les matchs. »

Pour se développer, le jeune gardien devrait regarder les matchs de la LNH à la télé. « Identifier son gardien préféré, analyser ses moindres mouvements et tenter de les répéter, explique Sébastien Farrese. Si les parents ont les moyens de payer un entraîneur privé, il faut toujours garder le même pour éviter que l'enfant reçoive trop de messages différents. »

Les écoles de hockey estivales pour gardiens ? « Pas besoin d'en faire six, répond Sébastien Farrese. Il faut faire autre chose. Malcolm Subban rangeait toujours ses jambières pendant deux ou trois mois et je l'encourageais à le faire. Il recommençait à la fin juillet, début août, et il était affamé ! »

Imaginez un peu comment doit se sentir Carey Price dans un marché comme celui de Montréal...

»» LA PAROLE AUX ENFANTS «<

BENJAMIN BLANSHAY, 11 ANS

Benjamin est un gardien de but de l'élite. Il a toujours préféré défendre le filet de son équipe plutôt que de marquer des buts. « En plus, je fais de l'asthme, je ne pourrais pas jouer comme attaquant », dit-il.

Il a eu la piqûre en regardant jouer Jaroslav Halak, alors avec les Canadiens de Montréal. « J'ai commencé à jouer en Pré-Novice, mais c'était très difficile au début. Surtout tomber avec les jambières en papillon et les refermer. Les jambières étaient grosses. Mais j'ai travaillé fort, je me suis amélioré et j'ai aimé ça. J'arrêtais plus de rondelles, je bougeais plus rapidement.

« Il faut travailler très fort parce que les tirs sont de plus en plus difficiles à arrêter et parce que les joueurs sont plus gros et plus forts. La concentration est difficile à garder aussi. Quand je laisse passer la rondelle, ma confiance souffre, même si ce n'est pas ma faute. Je ne sais pas pourquoi. »

Que fait Benjamin pour retrouver sa confiance après avoir accordé un but ? « Je regarde mon père dans les estrades et il m'indique de ne pas m'en faire, avec un pouce en l'air. Ça me rassure et je suis correct après. »

Et quand son père est absent ? « Quand il n'est pas là, il est dans mon cœur, parce que je pense toujours à lui... »

LE RENFORCEMENT POSITIF

« Pas beaucoup d'agilité sur patins, pas très motivé, mou, du genre à tenir son bâton comme on tiendrait une fleur. » Quand mes adjoints ont appris en début de saison que nous héritions de ce joueur, ils m'ont vite recommandé de faire pression auprès du directeur technique pour le renvoyer dans le « B », où il retrouverait des joueurs de son niveau.

Mais les règlements ne permettant pas sa rétrogradation puisqu'il faut maintenir un équilibre dans le nombre de joueurs d'un niveau à l'autre, et parce qu'il avait déjà été choisi au sein de l'équipe, j'ai fait fi des recommandations de mes adjoints. Il ferait partie du club et l'on allait tout faire pour qu'il se sente à l'aise et se développe.

Il avait quelques cicatrices psychologiques encore vives de la saison précédente : des coéquipiers l'avaient nargué – on n'hésite jamais à s'attaquer aux plus faibles. J'ai demandé à un joueur et à son meilleur ami de tout mettre en œuvre pour qu'il se sente à l'aise au sein du groupe et qu'on le protège comme un petit frère.

Nous l'avons encouragé, stimulé et mis en relief ses qualités. Vrai qu'il ne possédait pas un grand talent, mais il était assez imposant physiquement et son patin arrière n'était pas vilain. J'ai entrepris de lui faire croire qu'il était le plus fort de notre équipe, ce qui était loin de la réalité en début de saison, mais pas une notion complètement farfelue en raison de son gabarit.

Je faisais du renforcement positif chaque fois que je le voyais. Il a retrouvé le goût de jouer. Il ne pleurait plus avant les matchs ou les entraînements. J'ai l'impression qu'il associait désormais le hockey au sentiment de satisfaction et à la positivité qui se dégageaient de notre groupe. Non seulement il paraissait avoir du plaisir à jouer, mais encore il s'est amélioré au point de devenir un solide défenseur au sein de notre équipe, meilleur qu'au moins cinq ou six de nos joueurs.

Le renforcement positif est, à mon avis, l'une des armes les plus redoutables dans le coffre de l'entraîneur. Jacques Demers n'a-t-il pas remporté la Coupe Stanley en 1993 avec les Canadiens en abreuvant ses joueurs de compliments ?

CHAPITRE
#5

LE COIN DE L'ENTRAÎNEUR

Ce chapitre s'adresse notamment aux entraîneurs débutants du hockey mineur qui côtoient de jeunes joueurs inexpérimentés, par exemple aux niveaux Novice et Atome. Il importe de ne pas noyer le message envoyé aux enfants avec une trop grande quantité d'informations. Même s'il est primordial de donner priorité au développement des habiletés individuelles au sein de ces groupes d'âge, il existe néanmoins quelques règles de base à respecter.

LE DEVANT DU FILET

La majorité des buts se marquent près des filets. Il est important d'insister auprès des jeunes hockeyeurs afin qu'ils privilégient ces deux zones névralgiques pour défendre leur gardien et pour compter des buts.

À l'époque où il dirigeait les Voltigeurs de Drummondville, dans la Ligue de hockey junior majeur du Québec (LHJMQ), Guy Boucher employait une formule très imagée pour rappeler à ses joueurs que l'enclave, devant le filet, devait toujours être protégée par au moins un joueur en défensive : il disait que cette enclave était une chambre à coucher, que la « blonde » était dans la chambre à coucher et qu'on ne devait laisser aucun joueur adverse entrer dans cette chambre...

J'aimais bien cette image pour expliquer les principes de base du hockey. Mais quand je me suis retrouvé devant un groupe de joueurs de sept ou huit ans qui, pour la plupart, n'ont que faire à cet âge de l'amour et des sentiments d'une fille de leur âge, je me suis dit que le principe de la « blonde » dans la chambre à coucher n'allait pas les inciter à être plus vaillants que d'habitude dans l'enclave... Après une courte réflexion, j'ai remplacé l'exemple de la chambre à coucher par celui d'un magasin de bonbons. Avant chaque match, je répétais la même chose : ne laissez aucun adversaire essayer de piger dans nos bonbons ! Par contre, il était loin d'être interdit de piger dans les bonbons de l'équipe adverse !

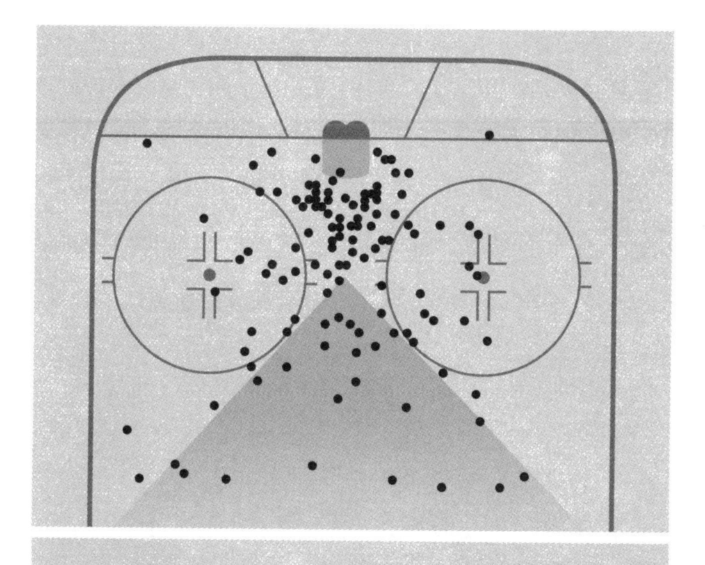

Voici les endroits d'où les Ducks d'Anaheim ont compté leurs buts au cours de la saison 2013-2014. On utilise souvent un tel exemple pour expliquer aux jeunes l'importance de bien surveiller la « boîte à bonbons ».

LES SORTIES DE ZONE

Les attaques se construisent toujours de la zone défensive. Un positionnement de base est essentiel. Ainsi, il permet au défenseur de passer la rondelle sur les flancs – et jamais au centre – à un ailier qui se trouve collé sur la bande, près du cercle de mise en jeu. Le centre, à qui l'on permet de patiner plus profondément en zone défensive, peut se placer en réception de passe s'il est près du défenseur, ou encore s'approcher de l'ailier pour lui servir d'appui. L'ailier qui se trouve à l'opposé doit se rapprocher du milieu de la zone pour que les cinq joueurs se trouvent constamment groupés dans une même demi-zone.

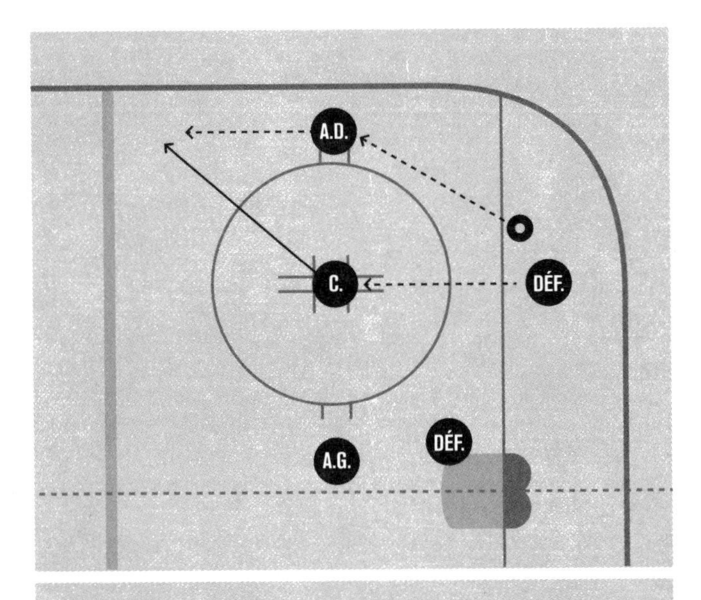

Au niveau Novice, l'on enseigne aux jeunes une sortie de zone classique. On demande à l'ailier du côté du défenseur en possession de la rondelle de se coller sur la bande et de placer la lame de son bâton sur la glace pour se préparer à recevoir la passe du défenseur. On demande au centre de se rendre plus profondément en territoire défensif pour offrir une option de passe au défenseur (toujours avec son bâton sur la glace), ou à l'ailier si c'est celui qui reçoit la passe. L'ailier du côté opposé doit s'approcher pour se retrouver dans la même portion de patinoire (on sépare la glace en deux et on demande aux cinq joueurs de se retrouver dans une même moitié de glace) que ses coéquipiers.

L'ÉCHEC AVANT

L'expérience aidant, j'ai remarqué que lorsqu'on donne à un enfant des consignes un peu trop précises quand il est question de presser le porteur de la rondelle, on perd un peu trop en vitesse et en intensité, car le jeune a tendance à trop réfléchir à ce qu'il doit faire. Aux niveaux Novice, et parfois même Atome, je me contente de demander à mes attaquants de… « foncer ». C'est le mot clé, un mot simple que je répète constamment. Je peux néanmoins demander à notre joueur de centre, qui est généralement un athlète plus cérébral, de rester en retrait pour prévenir les contre-attaques.

Je dois souvent répéter le mot « foncer », car à cet âge le jeune est encore trop un « spectateur » sur la glace plutôt qu'un « acteur » ayant une incidence sur le déroulement du jeu. Comme le mentionne Hockey Québec dans son « Cahier d'entraîneur récréation », à huit et neuf ans l'enfant commence à peine à comprendre le lien entre les actions et le résultat. Il a encore de la difficulté avec la compréhension de l'espace, spécialement pour la latéralité et la division des espaces.

Chez les enfants les plus doués au niveau Atome, on peut commencer à introduire certaines notions d'échec avant et même leur demander de s'adapter à certaines situations sur la glace en fonction de leur lecture du jeu, c'est-à-dire rester en retrait si le coéquipier fonce le premier sur le défenseur en zone adverse, ou encore foncer si l'on est le premier en territoire ennemi. Car, toujours selon Hockey Québec, à 10 et 11 ans l'enfant peut désormais formuler des hypothèses et envisager différentes solutions de rechange à la condition que les situations soient concrètes.

Pour le reste, j'applique toujours la règle des trois « P », un principe inventé de toutes pièces parce que mes trois notions de base commençaient toutes par la lettre « P » : passe, patin, positionnement. Un de mes gérants a un jour intégré un quatrième « P » (pour « plaisir ») lors d'une de mes directives d'avant-match : ce « P » était très à propos, car le plaisir est en effet trop souvent occulté.

COMMENT AMÉLIORER LES HABILETÉS D'UN JEUNE

Hockey Canada soutient une théorie selon laquelle les niveaux d'habileté doivent être atteints subséquemment et de façon ordonnée selon sa « pyramide des habiletés ».

Ainsi, chez les équipes constituées de joueurs de cinq à sept ans, on recommande de consacrer 85 % de son temps d'exercice au développement des habiletés techniques, 15 % aux tactiques individuelles et de ne pas toucher aux tactiques collectives, au système de jeu et à la stratégie.

Par habiletés techniques, on entend le patinage, le maniement de la rondelle, les tirs, les passes et la réception des passes. Les tactiques individuelles concernent entre autres les feintes, la sortie de zone, la protection de la rondelle, l'approche du porteur et le jeu devant le filet.

« L'entraîneur doit bien réviser les principaux gestes techniques et les erreurs de base commises par les enfants. Il retrouvera toute cette information dans les documents remis lors de sa formation.

Ces documents doivent devenir sa bible!», dit Yves Archambault, de Hockey Québec.

Vers l'âge de huit ou neuf ans, Hockey Canada suggère de consacrer 45 % du temps d'entraînement au développement des habiletés techniques, 40 % aux tactiques individuelles et d'initier les jeunes aux tactiques collectives en y consacrant 15 % de son temps.

L'enseignement des habiletés techniques diminue graduellement à compter de 10 ans, et l'on y introduit l'enseignement des systèmes de jeu et des stratégies. Entre l'âge de 14 et 17 ans, l'enseignement des habiletés techniques, des tactiques individuelles et collectives ne devrait pas dépasser 17 %, tandis que la stratégie compte pour 32 %.

Il existe six catégories d'habiletés essentielles au hockey: le patinage, le contrôle de la rondelle, les passes, la réception des passes, les tirs et, à un âge plus avancé, les mises en échec. Le patinage demeure évidemment la clé: l'enfant qui ne patine pas convenablement aura toujours du retard sur les autres.

Par ailleurs, je remarque au sein de plusieurs associations qu'on met l'accent sur le maniement de la rondelle au détriment des passes et de la réception des passes. On développe des joueurs rapides et spectaculaires, mais qui patinent souvent la tête basse et qui font peu de passes. Les passes sont pourtant l'arme la plus redoutable au hockey. J'encourage fortement les entraîneurs à instaurer le maximum d'exercices de passes. On peut même organiser certains exercices qui combinent le patinage et les passes. Vous aurez fait d'une pierre deux coups !

L'autre aspect occulté dans le hockey mineur est, à mes yeux, le pivot arrière – pas seulement pour les défenseurs, mais pour les attaquants également – puisqu'en maîtrisant mieux cette technique, l'enfant aura un meilleur équilibre et une meilleure dextérité sur ses patins. Et je ne parle pas des passes et des tirs du revers !

Mais, avant tout, n'oubliez pas que vous êtes d'abord des pédagogues. Apprenez, en vous nourrissant d'ouvrages sur le hockey et par l'entremise de YouTube, les bons mouvements techniques et corrigez, corrigez et corrigez ! Et prenez soin de démontrer l'exercice vous-même : un enfant qui n'exécute pas le bon mouvement ne s'améliorera jamais, il ne fera que répéter sans cesse la même erreur…

COMMENT PRÉPARER UNE SÉANCE D'ENTRAÎNEMENT

Rien ne m'horripile plus que de voir un entraînement où des jeunes sont entassés dans un coin de la patinoire pendant de longs moments en attendant leur tour, en train de se chamailler ou de lancer des rondelles sur les bandes. Le coupable ? L'entraîneur, qui n'a pas su préparer une pratique où les jeunes seraient constamment en mouvement, de façon à maximiser leur heure d'entraînement et à les garder actifs. Observez vos joueurs : s'ils sont trop longtemps sans bouger, corrigez le tir lors de la prochaine pratique.

Quelques trucs utiles : formez des ateliers en petits groupes de façon à occuper tout le monde et à créer de la diversité pour éviter que les joueurs n'attendent trop en file. Vous gagnerez du temps en expliquant les exercices au tableau dans le vestiaire avant d'aller sur la glace. Demandez à vos joueurs d'arriver au moins 30 minutes avant le début de l'entraînement. N'hésitez pas à déléguer et à laisser vos adjoints diriger certains exercices, cela les responsabilisera davantage et ils seront plus aptes à vous remplacer en cas d'absence.

De votre côté, vous devez, dans un monde idéal, être le premier à entrer dans le vestiaire de l'équipe pour accueillir les joueurs. Adressez-vous à chacun d'eux par leur prénom ou le surnom que vous leur avez donné. N'oubliez jamais de sourire. L'ambiance est essentielle au bon fonctionnement d'une équipe. Les enfants ressentent votre tension et votre mauvaise humeur. La routine est importante : variez vos exercices, mais pas nécessairement le déroulement de l'entraînement. Demandez à vos joueurs d'attendre leurs coéquipiers, car se rendre tous en même temps sur la glace peut être un bon moyen de favoriser l'esprit d'équipe.

J'exige toujours de mes joueurs qu'ils gardent un contact visuel avec moi quand je donne des explications. Je leur demande aussi de s'approcher de moi s'ils sont trop éloignés : un genou sur la glace et pas question de se lever avant que j'aie terminé.

Pour les inciter à venir me rejoindre plus rapidement quand je siffle (combien de jeunes continuent à lancer des rondelles après le coup de sifflet?), je compte jusqu'à cinq. Je les regroupe toujours loin des parents pour éviter les distractions. Et, quand je les vois scruter les estrades en cherchant leurs parents du regard, je leur demande de rester concentrés sur ce qui se passe sur la glace.

Il y a plusieurs façons de discipliner ses joueurs : les faire patiner sans rondelle en est une quand ils n'écoutent pas, qu'ils sont trop dissipés ou qu'ils tournent les coins ronds. Si vous leur demandez de freiner à la ligne ou de regarder dans une direction lorsqu'ils freinent, n'ayez pas peur de leur faire répéter l'exercice jusqu'à ce que ce soit parfait. S'ils trichent lors d'une séance d'entraînement, ils tricheront lors d'un match. Vous ne voulez pas d'un club indiscipliné.

Après un entraînement, n'oubliez jamais de vous adresser aux joueurs. Êtes-vous satisfaits de leur effort ? Insatisfaits ? Qu'ont-ils amélioré ? Qu'ont-ils à améliorer? La communication demeure essentielle en tout temps.

COMMENT PRÉPARER UN MATCH

Je me suis toujours demandé comment un enfant qui arrivait à la course dans le vestiaire 10 minutes avant le début d'un match pouvait parvenir à se concentrer à temps pour la rencontre. À mes yeux, il est important d'instaurer une routine et, surtout, d'accorder le temps nécessaire à l'enfant pour entrer dans une zone psychologique où la concentration sera à son maximum avec ses coéquipiers et ses entraîneurs. Que ce soit pour un match de niveau A, AA, B, BB, C... ou Z !

Ainsi, je demande à tous nos joueurs d'arriver au moins 45 minutes avant un match en semaine, et 60 minutes le week-end ou en tournoi. Quand c'est possible, j'aime organiser un petit réchauffement pour que les joueurs se délient les muscles. Munis de notre tableau et de notre crayon-feutre, nous rencontrons individuellement chaque joueur et chacun connaît ainsi son rôle. Nous organisons ensuite des petites rencontres en sous-groupes (défenseurs, centres et ailiers).

Dès mon entrée dans le vestiaire, je me charge aussi d'inscrire au tableau les noms de ceux qui forment les trios et des paires de défenseurs afin que les jeunes sachent déjà à quoi s'en tenir en prévision du match. Il y a toujours de la musique qui joue à tue-tête dans le vestiaire de mes équipes, que ce soit à l'occasion d'un match ou d'un entraînement. Et une défaite ne signifie pas la mise au rancart des haut-parleurs : l'équipe peut offrir une très belle performance sans gagner, et je ne désire en rien associer musique et victoire. Mais il y a toutefois des occasions – plus rares – où il n'y a pas de musique parce que je ne suis pas très heureux de leurs efforts, soit à l'entraînement, soit pendant un match.

J'apporte aussi toujours un ou deux petits ballons de soccer ou encore des balles de tennis. Quand le gardien est prêt, je demande à un joueur d'aiguiser ses réflexes. Les autres joueurs peuvent se lancer le ballon calmement dans le corridor ou une pièce adjacente. Pour les plus jeunes équipes, je demande aux parents de quitter le vestiaire au moins 15 minutes avant le début du match. À compter des rangs Pee Wee et même Atome, les parents ne devraient plus avoir accès au vestiaire et au corridor.

Mon discours d'avant-match n'est jamais très long. Il ne sert à rien de donner trop d'informations aux jeunes. Ils en ont déjà reçu assez lors des rencontres individuelles et en sous-groupes. Je leur sers un court message de motivation et les invite ensuite à quitter le vestiaire un à un, en les nommant à tour de rôle, pour que chacun sente qu'il est important au sein de l'équipe.

Le réchauffement peut prendre plusieurs formes. Mais j'insiste pour que les jeunes patinent fort, dans le but de trouver rapidement un rythme et une intensité. Je veux aussi que chaque joueur ait l'occasion de toucher à la rondelle pour qu'il ne soit pas surpris quand elle aboutira sur la lame de son bâton pour la première fois dans le match.

Nous sommes toujours trois derrière le banc. Pour les débutants, il faut des adultes pour ouvrir les portes. Un entraîneur s'occupe des avants, un autre, des défenseurs et le troisième se charge d'apporter les correctifs aux joueurs avec un tableau à l'appui.

Après le match, je demande aux joueurs d'enlever leur casque et de cesser toute activité. Je reviens sur le match pendant une minute ou deux. Je tente de teinter mon discours d'éléments positifs, ou du moins de transformer des situations négatives en situations positives. Par exemple, après une cruelle défaite en prolongation, je dirai qu'il faut vivre ce type de match pour grandir comme athlète et qu'il faut apprendre à perdre avant d'apprendre à gagner. Si notre équipe n'a pas assez fait de passes, je dirai qu'on a appris une leçon essentielle aujourd'hui, celle de l'importance d'effectuer des passes pour gagner.

D'ailleurs, parlant de passes, j'ai instauré un système pour encourager les plus jeunes à en faire davantage. Je demande à un entraîneur et à un parent de prendre note de toutes les passes réussies pendant un match. Après la rencontre, nous annonçons le *top cinq* des meilleurs passeurs de l'équipe !

J'emprunte aussi une formule populaire qui consiste à remettre un objet fétiche à un joueur qui se sera signalé par ses efforts soit par un lancer bloqué, une performance hors de l'ordinaire, un tir bloqué ou une belle passe. À chaque match, l'honneur sera décerné à un joueur différent.

APPRENDRE À GÉRER LES PARENTS

Que ce soit au travail, dans notre vie de couple ou avec des amis, combien de fois avons-nous dit des choses sur le coup de l'émotion que nous avons regrettées par la suite ?

Il existe dans le monde du hockey mineur une extraordinaire loi tacite – la « règle des 24 heures » – stipulant qu'il est préférable d'attendre au lendemain avant d'exprimer ses opinions à la suite d'un match. C'est une règle qui m'a bien servi à l'occasion quand d'autres entraîneurs dirigeaient mes fils, au soccer par exemple, et qui aurait bien servi certains parents qui sont allés jusqu'à agresser des entraîneurs parce qu'ils étaient insatisfaits du temps d'utilisation de leurs enfants. Si tous observaient cette règle, je suis persuadé que les conflits seraient non seulement rares mais bénins.

Mais le règlement le plus efficace, qui n'est malheureusement pas appliqué partout, serait d'éloigner les parents du vestiaire, du corridor qui jouxte le vestiaire et de leur permettre de n'avoir de rapports qu'avec le gérant. Non seulement laisserait-on les entraîneurs manœuvrer librement… mais les enfants aussi !

Je peux comprendre qu'à un jeune âge, il faille accompagner les enfants dans le vestiaire pour les aider à enfiler leur équipement et à lacer leurs patins. Mais, à compter des rangs Atome, c'est-à-dire vers l'âge de 9 ou 10 ans, l'enfant devrait être capable de lacer ses patins seul. L'entraîneur devrait s'adresser aux parents en groupe en début de saison, faire le point aux Fêtes et dresser un bilan à la fin de la saison. L'accès à l'entraîneur devrait se faire par l'entremise du gérant seulement.

Dans un monde idéal, le gérant et un groupe de parents devraient veiller au bon comportement des autres parents, au respect envers les arbitres, les entraîneurs, les joueurs adverses et même les joueurs de sa propre équipe. J'ai déjà vu des adultes engueuler des enfants qui n'étaient pas les leurs devant leurs parents !

Lors de la réunion de parents en début d'année, le gérant et les entraîneurs devraient remettre à chacun des parents un code à signer et à respecter, et prévoir des sanctions en cas de manquement au code. Il est dommage d'en être rendu là pour du hockey récréatif avec des enfants, mais voilà la triste réalité de notre hockey mineur...

CHAPITRE

LES BLESSURES

RÉFLEXIONS DEPUIS UNE CHAMBRE D'HÔPITAL

C'est la fête des Pères. L'infirmière vient juste à temps de retirer à mon fils son plat de croquettes de poisson, car il doit être à jeun pour son test d'imagerie par résonance magnétique au cerveau, prévu dans une heure.

La veille, lors d'un match contre une formation de Belleville, en Ontario, Charles-Émile a percuté violemment la bande, tête première, après avoir été poussé par derrière par un adversaire alors qu'il filait à toute allure pour récupérer la rondelle.

Il participait, avec les Princes, au tournoi AAA Montreal Meltdown qui regroupait des équipes provenant de l'Ontario, des États-Unis, du Nouveau-Brunswick et évidemment du Québec. (Les Princes de Montréal, c'est le nom d'une organisation qui regroupe 14 équipes et 220 joueurs qui disputent des tournois dans diverses catégories au printemps. Princes 2003, c'est l'équipe des joueurs nés en 2003 : ils ont donc 10 et 11 ans.) Le match contre Belleville n'était pas violent et je suis convaincu que le garçon n'avait pas l'intention de blesser mon fils. À 9 ou 10 ans, je ne crois pas que le hockeyeur veuille consciemment blesser un rival. Mais est-il conscient des conséquences de certains de ses gestes ?

Toujours est-il que la tête de mon fils a percuté la bande, son cou a plié, et le voilà allongé sur la glace, se tordant de douleur. De ma position derrière le banc, j'ai vu toute la scène et j'ai accouru auprès de lui. Il se tortille en pleurant, ce qui est en quelque sorte rassurant.

Kathy, amie de l'entraîneur avec qui je dirige l'équipe et médecin de formation, me rejoint sur la glace ainsi qu'une responsable des premiers soins mandatée par le tournoi. Toutes deux jugent qu'il vaut mieux utiliser la civière pour évacuer mon fils. Bien qu'il soit capable de remuer l'extrémité de ses membres, il dit ne pas pouvoir ouvrir les yeux parce que « ça fait trop mal ».

À l'infirmerie, Charles-Émile a toujours les yeux fermés et dit qu'il a mal partout, surtout à la tête. Le contact a été vraiment violent. Kathy préfère qu'on appelle l'ambulance, car elle ne veut courir aucun risque. Mon fils chuchote qu'il veut connaître le score du match puisque les Princes passeront en demi-finale advenant une victoire. Cela me rassure et me confirme qu'il est bien éveillé. Quand je reviens dans la pièce, j'attends qu'il me redemande la marque afin d'obtenir une preuve supplémentaire de sa vivacité d'esprit.

La douleur diminue une quarantaine de minutes plus tard, lorsque les ambulanciers parviennent à lui retirer son casque. On découpe son uniforme en pièces détachées de façon à lui retirer ses épaulières. Ainsi prend fin sa saison 2013.

En quittant le complexe sportif, beau geste de solidarité de son coéquipier Anakin, qui lui remet la médaille du meilleur joueur du match après avoir réussi un tour du chapeau lors de la partie gagnée 4-2 par les Princes. Sur la civière, Charles-Émile entrouvre les yeux et agrippe le précieux objet.

On ne doit pas lésiner avec les blessures à la tête et le médecin l'examine sitôt arrivé à l'hôpital. Les signes vitaux sont bons, il réagit bien aux différents tests, mais le médecin lui fait passer des radiographies pour s'assurer qu'il n'y a aucun dommage à la colonne vertébrale. Il décide de le garder en observation pour 24 heures, car l'une de ses pupilles est plus dilatée que l'autre, un des symptômes d'une commotion cérébrale.

On monte finalement à notre chambre au 7e étage. Lorsque je peux enfin disposer d'un lit pliant, il est deux heures du matin. Je suis complètement endormi quand un autre médecin nous réveille vers 3 h 30. Mon fils semble en forme. Il explique de façon enjouée au neurologue qu'il a provoqué deux expulsions au cours de ce tournoi, celle du jeune de Belleville et une autre, la veille, d'un attaquant des Cobras du Richelieu qui lui a asséné à deux mains un coup de bâton sur l'épaule en guise de représailles. Deux fois, mon fils a été chanceux dans sa malchance.

Les résultats des radiographies sont négatifs, tout comme celui du test d'imagerie par résonance magnétique. Mon fils ne souffre pas d'une commotion cérébrale, mais il a subi un traumatisme, il a des raideurs au cou et une contusion au front même s'il portait son casque !

Bien que le hockey soit au cœur de ma vie, mon fils connaît ma position : je souhaite qu'il opte pour le soccer à temps plein même si ce sport comporte également certains risques de commotion cérébrale. Il devra d'ailleurs faire un choix entre ces deux sports avant l'âge de 12 ans, nous répète d'ailleurs souvent son club. Mes fils savent toutefois qu'ils sont maîtres de leurs choix sportifs et que je vais les respecter.

Mais l'incident du week-end n'a rien pour me rassurer. Ne serait-ce que par la vitesse du jeu et la nature de ce sport, le hockeyeur vit avec une épée de Damoclès au-dessus de la tête. Continuons, au jour le jour, en espérant qu'il s'en sorte sans accident fâcheux.

LA PAROLE AUX MÉDECINS

Patrick Cossette ne tolérerait jamais qu'un de ses fils joue au hockey dans les rangs Midget AAA et même Bantam AAA ou AA. Ses fils ont du talent et il adore le hockey, mais il ne voudrait au grand jamais les exposer aux mises en échec.

Il n'est ni avocat, ni entrepreneur, ni comptable, ni facteur. Il est neurologue au Centre hospitalier de l'Université de Montréal (CHUM). Je l'ai connu dans le milieu du hockey mineur à Mont-Royal et Outremont (MRO). Il dirigeait une de nos deux équipes de Novice A, il y a quelques années (j'étais à la tête de l'autre), et nous avons siégé ensemble au sein du comité de hockey MRO.

Patrick Cossette et plusieurs de ses collègues neurologues militent pour restreindre les mises en échec dans le hockey mineur et ils ont même fait des démarches auprès des autorités gouvernementales. « Plus de 85 % des commotions cérébrales dans le hockey sont provoquées par des mises en échec, affirme-t-il. Si l'on abolissait les mises en échec, on enrayerait les trois quarts des commotions cérébrales. Hockey Canada et Hockey Québec rétorquent qu'ils ont le mandat de former une élite pour les championnats nationaux et internationaux. C'est un bon argument. Mais au niveau Junior AA, Midget BB et Bantam CC, il y a moyen d'y mettre fin, ça ne changerait rien au jeu et ça ne fait qu'augmenter les risques de blessures.

«À l'heure actuelle, ajoute-t-il, c'est juste un manque de volonté qui empêche les autorités d'agir. Pourtant, il y a trop d'évidences scientifiques qui démontrent désormais les liens entre les mises en échec et les commotions cérébrales, et les effets néfastes à long terme de celles-ci.»

«Le phénomène des commotions cérébrales nous préoccupe beaucoup, affirme le directeur général de Hockey Québec, Yves Archambault. On commence à peine à connaître leur impact sur la santé de ceux qui les subissent. On reçoit de nouvelles informations régulièrement. Nous ne sommes pas fermés à l'idée d'une ligue compétitive sans mises en échec. Il faudrait savoir combien de jeunes voudraient jouer sans mises en échec. Il y a un avenir pour ça. Le Canada anglais est sensibilisé au problème et met les bouchées doubles. Les dirigeants commencent à accepter le fait de ne plus tolérer les mises en échec au niveau Pee Wee. Mais on ne pourrait pas imaginer l'abandon des mises en échec pour les niveaux Bantam AA et AAA, Midget AA et AAA, car il faut préparer les jeunes pour la Ligue de hockey junior majeur du Québec. Ils auraient trop de rattrapage à faire si on leur enseignait la mise en échec dans les rangs junior seulement. »

Le neurologue Patrick Cossette estime qu'entre 20 % et 50 % des joueurs de la LNH subissent une commotion cérébrale au cours d'une saison, et que cinq ou six joueurs par équipe dans le hockey mineur organisé subissent une commotion lorsque la mise en échec est tolérée. « Si les gens sont prêts à accepter cet état de choses, libre à eux. Il ne s'agit plus de pratiquer un sport, mais pratiquer un sport qui a des conséquences sur la santé. Je ne crois pas que les parents réalisent dans quelle aventure ils exposent leurs enfants. »

La recherche médicale évolue, mais on ne parvient toujours pas à prouver hors de tout doute que les cerveaux des enfants sont plus sujets que ceux des adultes aux commotions cérébrales. Du moins, les avis sont encore partagés. « Ce que l'on sait cependant de façon claire, dit Patrick Cossette, c'est que celui qui a subi une première commotion cérébrale est nettement plus à risque d'en avoir une autre plus grave. Les effets cumulatifs des commotions cérébrales sont désormais connus et l'information est accessible. Les gens doivent savoir qu'il y a des risques à long terme et qu'après une troisième commotion, il peut y avoir des séquelles neurologiques à long terme. Nous voulons enrayer les mises en échec dans les niveaux où elles ne sont pas nécessaires pour diminuer le nombre d'enfants exposés aux risques de subir une commotion cérébrale. »

Pour sa part, Louis De Beaumont, professeur en neuropsychologie à l'Université du Québec à Trois-Rivières (UQTR) et spécialiste en plasticité neuronale, estime que le cerveau commotionné d'un adolescent restera plus fragile puisqu'il n'a pas encore atteint sa pleine maturité. M. De Beaumont est un spécialiste auquel j'ai eu souvent recours tant pour des articles parus dans *La Presse* que pour des documentaires que j'ai scénarisés au cinéma, et il demeure une autorité dans son domaine.

Voici ce qu'il me confiait récemment : « La maturité complète du cerveau ne survient pas avant l'âge de 20 ans. Les études en neurologie pédiatrique démontrent que les traumatismes crâniens sur des cerveaux qui ne sont pas matures provoquent des problèmes plus graves que chez des adultes ; les symptômes peuvent durer plus longtemps et cela peut limiter le développement de l'enfant sur le plan de l'apprentissage. C'est pire à 11, 12 et 13 ans.

« Le neuropsychologue en moi suggère d'attendre que le cerveau ait atteint sa maturité, mais ce sera difficile à réaliser dans les faits puisque les recruteurs veulent savoir ce que les jeunes ont dans le corps à compter du niveau Bantam. On commençait d'ailleurs à les surveiller à compter du Bantam AA. Le seuil, pour moi, constituerait le Bantam AA. »

Monsieur De Beaumont dirige plusieurs projets de recherche avec des athlètes commotionnés, jeunes et moins jeunes. « Les neurones qui ne sont pas encore connectés dans un cerveau fragilisé peuvent ne pas se brancher et mener à des problèmes d'apprentissage et de comportement. Les enfants sont parfois impulsifs et agressifs parce qu'ils sont immatures au plan cérébral ; un cerveau blessé peut faire en sorte que l'agressivité demeure et ça devient très problématique.

D'un point de vue médical, les données sont assez évidentes. »

Patrick Cossette souhaite de son côté que des hockeyeurs d'élite qui n'aspirent pas aux rangs professionnels puissent également jouer dans des ligues compétitives. « Il n'y a pas de mises en échec au championnat provincial scolaire alors qu'elles sont tolérées en saison régulière. Je ne comprends pas pourquoi il ne serait pas possible de les enlever également en saison régulière. Le hockey féminin n'est pas moins intéressant parce qu'il n'y a pas de mises en échec. Le contact physique est toléré, mais pas la mise en échec. Si on ne la retire pas quand mon fils accédera au niveau Bantam, il retournera jouer au niveau A au hockey civil, où il n'y a pas de mises en échec. »

Vous voilà informés.
Un peu inquiétant, n'est-ce pas ?*

* Selon la plus importante étude américaine chez les jeunes athlètes d'écoles secondaires portant sur les commotions cérébrales dans 20 sports, un total de 1 936 commotions ont été répertoriées en 7,7 millions d'heures d'activités entre 2006 et 2010. Le football américain vient en tête avec un ratio de 6,4 commotions par tranche de 10 000 heures. Suivent le hockey avec un ratio de 5,4, la crosse avec 4,0, le soccer féminin avec 3,4, la lutte avec 2,2 et le soccer masculin avec 1,9, tout juste devant le basketball masculin et la balle-molle féminine avec un ratio de 1,6. C'est cependant au hockey que les commotions sont les plus importantes par rapport aux autres types de blessures avec un taux de 22 %. Le soccer vient au dixième rang avec un taux de 11 %.

»» LA PAROLE AUX ENFANTS ««

YULEN BILLY, SEPT ANS

Yulen est né au Québec d'un père d'origine basque viscéralement attaché au rugby, mais sa passion première est le hockey, qu'il a commencé à pratiquer il y a trois ans.

« Je regardais des matchs à la télé et je me suis dit que j'allais faire du hockey et me rendre jusqu'à mon rêve... la Ligue nationale !

« Je vais être stressé, c'est sûr, mais je vais aimer ça parce que je vais passer à la télé et des fois, je vais rencontrer les commentateurs. »

Yulen se décrit comme un petit ailier robuste qui travaille sans relâche et qui peut marquer des buts, un peu comme son idole Brendan Gallagher. Il ne craint pas les coins de patinoire, mais les coups d'épaule ne sont pas toujours agréables.

« C'est sûr que si le joueur adverse est plus costaud et qu'il a de plus grosses épaulières que toi, ça peut faire mal. Mais que je me fasse frapper dans la bande, je me dis que ce n'est pas grave. C'est moins pire qu'au foot quand on se fait piler dessus par des crampons. On n'est pas protégé, alors qu'au hockey, on l'est. C'est pour cette raison que je préfère le hockey. »

LE PROTECTEUR BUCCAL, ÇA PROTÈGE ?

Votre enfant est-il plus à l'abri des commotions cérébrales s'il est muni d'un casque sécuritaire et d'un protecteur buccal ? Je le croyais bien naïvement, mais certains spécialistes m'ont incité à revoir mes positions. Ils ne répondent ni par oui ni par non. Ils ne savent pas. La position de l'Académie américaine de neurologie (AAN) est d'ailleurs claire et elle l'écrit noir sur blanc : « Les protecteurs buccaux contribuent à prévenir les blessures dentaires. Par contre, nous n'avons pas suffisamment de preuves pour établir qu'elles préviennent les commotions cérébrales. »

Même son de cloche du côté du neurologue et médecin de sport Paul McCroy, dans un article publié dans le *British Journal of Sports Medicine* : « La croyance voulant que les protecteurs buccaux puissent protéger les athlètes des blessures au cerveau et à la colonne vertébrale relèvent de la *neuromythologie* et non de la science, écrit-il. Les études qui tendent à prouver le contraire restent au stade anecdotique plutôt que d'apporter des évidences médicales certifiées. Il est très peu probable que les protecteurs buccaux donnent une protection efficace contre les blessures au cerveau puisqu'il y a trop peu d'études connues à cet effet. L'absence de preuves ne constitue pas une preuve de l'absence de risques. »

La National Football League (NFL) cherche toujours une solution au fléau des commotions cérébrales et ne semble la trouver ni dans la fabrication de casques mieux conçus, ni dans les protecteurs buccaux du dernier cri, ni dans les 1 000 propositions avancées par les fabricants d'équipements sportifs. « Quiconque vous dit qu'il possède un outil permettant à votre enfant de se prémunir contre une commotion cérébrale vous ment », déclarait récemment Dave Halstead, conseiller technique de l'Association des joueurs de la NFL et retraité depuis de son poste de directeur du Sports Biomechanics Impact Laboratory de l'Université du Tennessee.

Par contre, l'Association of Ringside Physicians, vouée à la santé et à la sécurité des combattants dans le sport, a annoncé en janvier 2014 qu'elle encourageait tous les boxeurs et les athlètes d'arts martiaux mixtes à porter un protecteur buccal couvrant la partie inférieure et supérieure de la mâchoire – et qui protège par le fait même l'articulation temporo-mandibulaire – fabriqué par la compagnie Brain-Pad. Il s'agit peut-être d'une percée intéressante, mais il faudra encore plusieurs années de recherches pour confirmer sa pleine efficacité.

QUELQUES NOTIONS DE PREMIERS SOINS

Vous connaissez sans doute l'histoire du garçon qui criait au loup. Il semble que cette expression ait pris son origine dans une fable où un petit garçon, pour s'amuser, hurlait au loup et semait la panique parmi les habitants de son village. Jusqu'au jour où un vrai loup se présentant, il voulut en avertir les villageois qui restèrent de marbre…

Les entraîneurs de hockey de niveau Pré-Novice, Novice et même Atome me voient sans doute venir. Combien de fois des enfants se jettent-ils sur la glace en hurlant, comme s'ils étaient à l'article de la mort, pour ensuite se relever sans difficulté et, surtout, sans douleur quelques instants plus tard ?

Malgré tout, les entraîneurs et le personnel médical – s'il y a lieu – doivent rester vigilants en tout temps.

En début de saison, je recommande à tous les gérants de faire remplir par les parents des joueurs des fiches médicales assorties de photocopies des cartes d'assurance maladie de leurs enfants, car les entraîneurs doivent connaître exactement la nature des problèmes médicaux dont pourraient souffrir leurs joueurs. Le gérant ou la gérante des équipes devraient en tout temps, lors de leur passage à l'aréna, avoir ces documents en leur possession. La trousse de premiers soins ne sert pas souvent, mais elle devrait toujours reposer sur le banc à chaque entraînement et à chaque match. Elle ne coûte pas cher et les organisations remboursent généralement ces frais. Il est aussi toujours utile en début de saison de cibler les parents qui possèdent des notions de premiers soins en cas de situation d'urgence.

Quand un joueur tombe sur la glace, il est important d'éloigner les coéquipiers du blessé et de les inviter à retourner au banc, sous la responsabilité d'un autre adjoint. Il faut aussi maîtriser le joueur et lui demander d'éviter de bouger avant qu'il vous dise où il a mal. Il s'agit ensuite de mesurer la gravité de la blessure. Si celle-ci vous paraît sérieuse, il faut passer à l'étape suivante et recourir aux services de spécialistes. Continuez à parler au joueur et rassurez-le. Restez calmes. Si une ambulance est en route, dites-le à l'enfant : cela pourrait aider à le calmer. Si c'est possible, prenez note des circonstances de l'accident pour fournir des explications précises aux ambulanciers et aux médecins.

Si le joueur a subi un coup à la tête, de grâce ne courez aucun risque, retirez-le du match même s'il affirme se sentir mieux quelques instants après avoir ressenti des symptômes. N'oubliez pas la règle d'or : trop de prudence vaut toujours mieux que pas assez...

CHAPITRE #7

»» ON «« PLONGE DANS L'ÉLITE ?

LE MONDE (ONÉREUX) DU HOCKEY AA ET AAA

Votre enfant s'est bien amusé dans les catégories Novice et Atome ? Il montre un certain talent – peut-être même un talent certain – et il a été invité au camp de sélection du Pee Wee AA et AAA ?

Bravo ! Maintenant, préparez-vous à dépenser s'il est choisi...

« Presque toutes les familles s'endettent avec le hockey », me confiait récemment un agent de joueurs de la région métropolitaine, qui préfère garder l'anonymat. « Les dépenses n'en finissent plus, j'ai des conversations chaque jour à ce sujet avec des parents égorgés financièrement. »

À compter des rangs Pee Wee, un parent peut s'attendre à dépenser entre 10 000 $ et 15 000 $ par année si son enfant fait partie de l'élite AA ou

AAA. Imaginez s'il en a deux ! Je n'ai pas de peine à croire ce père qui me confiait avoir investi plus de 200 000 $ dans la « carrière » de ses deux enfants au hockey mineur jusqu'à l'âge de 18 ans. J'espère que les jeunes se sont amusés, au moins !

C'est le printemps. Votre enfant de 14 ans vient de terminer son stage au niveau Bantam, qui coûte sans doute 10 000 $ pour l'année. Le coût du précamp printanier du Midget AAA varie entre 250 $ et 350 $ et le coût du tournoi d'évaluation qui suit ce camp se situe entre 450 $ et 600 $.

Au cours de l'été, un aspirant au Midget AAA est fortement encouragé à s'entraîner avec l'équipe tant sur la glace qu'en gymnase. La plupart des parents acceptent cette invitation pour augmenter leurs chances de voir leur garçon retenu. Les coûts varient entre 700 $ et 1 200 $ pour la saison estivale, à raison d'environ deux séances par été. Le camp, au mois d'août, coûte environ 200 $. La saison coûtera entre 3 500 $ et 4 500 $, mais comprend aussi l'école puisque – bonne nouvelle – tous les hockeyeurs d'élite doivent désormais fréquenter l'école à temps plein. Le parent à l'aise financièrement y trouvera son compte s'il s'agit d'une école de premier ordre, mais ce sera un peu cher si l'institution scolaire est de moindre qualité. À cela s'ajoute au moins un tournoi à l'extérieur, donc un minimum de 1 000 $ en frais d'hôtel et autres sans compter quelques centaines de dollars dans la cagnotte de l'équipe pour les frais courants en saison. Tous ces frais annuels évoqués depuis le camp du mois d'août s'appliquent pour des jeunes de niveau Midget, mais aussi Bantam et Pee Wee, à moins de pouvoir intégrer une structure permettant à la famille de choisir l'école et de participer aux entraînements en soirée.

L'équipement, maintenant. Après avoir dépensé tout cet argent, les parents veulent procurer le meilleur équipement à leurs enfants. Il faut au moins une dizaine de bâtons pour la saison, à 329 $ chacun. À leur niveau, il n'est pas question de les faire jouer avec des bâtons ordinaires, ceux-ci étant devenus leur « outil de travail ». Les patins coûtent entre 600 $ et 1 000 $ et peuvent durer toute une année, à moins que les pieds grandissent trop vite...

Pourquoi se lancer dans une telle aventure ? « Parce que nos enfants aiment le hockey », me répond un père de famille qui a deux enfants dans le hockey d'élite. « Et parce qu'ils sont placés dans un environnement structuré qui favorise également les études. D'ailleurs, certains enfants n'ont pas été réadmis dans le programme parce qu'ils n'avaient pas de succès scolaires suffisants. Cette structure rassure certains parents : pendant que leurs enfants étudient, ils ne traînent pas dans les parcs. Nos meubles de salon sont ordinaires, nous avons une automobile valant entre 20 000 $ et 30 000 $ au lieu de s'en payer une à 50 000 $, mais nous avons mis nos priorités dans le sport. Je m'encourage en me disant que ça coûte encore plus cher pour le patinage artistique et l'équitation... »

Il existe toutefois certains programmes d'aide pour les familles moins fortunées, à Hockey Québec, dans la Ligue Midget AAA ou au sein de certaines structures intégrées. Probablement que le joueur très talentueux trouvera de l'aide, mais qu'en est-il du joueur moyen ?

« Oui, ça coûte cher », affirme Yves Archambault, de Hockey Québec. « Cela dit, c'est le propre de tout sport d'élite. Le tennis, le soccer, la natation et le volleyball coûtent cher s'ils sont pratiqués douze mois par année, cinq à six fois par semaine.

Mais si on calcule les coûts par rapport aux heures de hockey fournies, ça devient un investissement plus intéressant. Je suis heureux que mes enfants ne fassent pas de ski alpin de compétition. Je ne pourrais pas me le permettre. Même chose pour le tennis, avec le coût des cours privés. Je me demande bien quel jeune, au Québec, est empêché de poursuivre sa route vers le hockey d'élite en raison d'un manque d'argent puisque la plupart des associations offrent des ressources financières au jeune de talent qui n'a pas les moyens de pratiquer le hockey à un niveau élevé de compétition. »

Toutefois, selon une étude de la firme torontoise « Solutions Research Group » sur le sport chez les jeunes au Canada, le hockey mineur serait le sport le plus cher (1 666 $ en moyenne par année) après le ski nautique (2 028 $). Il coûterait d'ailleurs plus cher que le ski (923 $), la natation (408 $) et la balle-molle (295 $) réunis ! Le hockey mineur vient désormais au 4e rang pour la popularité derrière la natation, le soccer et la danse.

En décembre 2013, le magazine *L'actualité* publiait un reportage percutant sur le hockey d'élite au Québec. Son titre: «La machine à broyer des rêves». Le journaliste Jonathan Trudel avait suivi pendant six mois le parcours d'un des hockeyeurs québécois les plus prometteurs, Anthony Duclair, du vestiaire du Colisée des Remparts de Québec jusqu'au repêchage de la LNH, et interviewé des dizaines d'intervenants du milieu. Le constat était clair: les coûts sont devenus ahurissants et les chances de percer, très minces. Beaucoup d'appelés, donc, mais très peu d'élus.

«Produire un joueur de hockey professionnel, aujourd'hui, coûte aussi cher que former un diplômé de Harvard, c'est ridicule», déclare, indigné, le vénérable chroniqueur sportif du quotidien torontois *The Globe and Mail*, Roy MacGregor. «Le danger, c'est que le hockey devienne réservé à l'élite de la société. En fait, je me reprends: le hockey est déjà réservé à l'élite, du moins aux familles de la classe moyenne aisée souvent installées en banlieue et prêtes à déménager pour aider la carrière de leurs fils. Elles se disent: *Si le fils de mon voisin a un entraîneur personnel, le mien aussi en aura un*. Franchement, je trouve ça dégoûtant.»

Dans son ouvrage « *Le Québec mis en échec – La discrimination envers les Québécois dans la LNH* », l'auteur Bob Sirois, lui-même ancien joueur des Capitals de Washington, a démontré que, au cours des 40 dernières années, seuls 176 Québécois francophones ont eu une carrière de plus de trois ans dans la LNH. Il a aussi estimé que pour chaque groupe de 618 Québécois francophones à avoir joué au niveau Midget, un seul a plus tard été repêché par la LNH.

Aussi bien s'investir pour les bonnes raisons, soit le désir de compétition de votre enfant, son plaisir personnel, le vôtre également, et la chance de lui fournir un bon encadrement sportif et scolaire. Sinon, les risques de déception sont énormes.

LES LIGUES AAA DE PRINTEMPS

Je ne connaissais absolument rien aux ligues de hockey AAA de printemps quand un ami, Sébastien Lavallière, m'a demandé en 2012 si j'étais intéressé à mettre sur pied quelques équipes au sein de son organisation. À la différence du hockey civil régi par Hockey Québec, le hockey AAA de printemps ne dispute pas de matchs de calendrier régulier et les jeunes joueurs ne sont pas tenus de jouer pour leur ville.

Il s'agit d'un prolongement de la saison d'hiver, une courte saison qui s'étend d'avril à juin et qui comporte trois ou quatre tournois au sein d'équipes ayant recruté des joueurs d'un peu partout dans leur région rapprochée et parfois... éloignée. C'est ainsi qu'avec un noyau de six ou sept joueurs au sein de l'équipe de mon aîné, j'ai formé une équipe des Princes 2003 en recrutant aussi des joueurs de Lachine, Laval, Ahuntsic et Rosemont de façon à avoir le meilleur calibre possible et permettre à ce noyau d'avoir une compétition intéressante. Plus les joueurs ont du talent, de la volonté et de la rigueur, meilleurs seront les entraînements et les progrès. J'ai aussi formé une autre équipe pour mon fils né en 2006 avec des joueurs de niveau Pré-Novice provenant majoritairement d'Outremont, Mont-Royal et Lachine. À cet âge, par contre, il n'y a pas de classement et les entraîneurs accompagnent encore les enfants sur la glace. Des amis entraîneurs ont aussi pris en charge deux équipes en 2004 et 2005 pour un total de quatre équipes des Princes.

Avant de me lancer dans cette aventure, j'avais entendu certaines rumeurs sur le AAA de printemps : prix exigés parfois exagérés et quête de la victoire parfois maladive pour certains. Mais je me suis dit qu'en prenant en charge un club, j'aurais le contrôle sur l'environnement, le prix et le développement des joueurs. Je me suis dit aussi que quelques mois supplémentaires au printemps ne nuiraient pas au développement de me mes fils en prévision des saisons suivantes.

Je n'ai promis de championnat à personne et j'ai assuré que nous ne recruterions pas de « mercenaires » pour gagner à tout prix. Mon intention était de faire grandir ensemble un groupe de jeunes au fil des années.

Trois ans plus tard, je constate que l'expérience a été très profitable. Mes enfants ont eu beaucoup de plaisir, ces quelques mois de développement supplémentaire leur ont permis d'améliorer grandement leurs aptitudes et ils ont créé de nombreux liens d'amitié avec des jeunes d'autres villes qui jouaient au sein de la même équipe. Ils ont un lien d'attachement très fort aux Princes de Montréal.

Le « bébé » a vite grandi. Nous avons désormais 14 clubs et plus de 200 joueurs. Certains proviennent même du Vermont ! Nous comptons un directeur technique, l'ancien capitaine et entraîneur des Canadiens, Guy Carbonneau, un directeur technique des gardiens, Sébastien Farrese, qui œuvre tant pour les Bulls de Belleville qu'à Hockey Canada, un site Web, une directrice des événements spéciaux, des communications, des directeurs de niveau, une école des gardiens et tout ce beau monde travaille bénévolement !

Il reste que cela n'est pas parfait : il y a des organisations qui visent le développement à long terme des enfants et qui œuvrent auprès d'eux par passion et altruisme, et d'autres qui cherchent à faire des profits et à flatter leur ego. Il faut se méfier et savoir déceler les intentions des équipes. Si l'on vous vante un peu trop votre enfant, si l'on vous parle trop des championnats passés et de la qualité de l'équipe, méfiez-vous. L'entraîneur doit vous parler de développement à long terme, de plaisir et de rigueur. Étudiez ses entraînements. Les joueurs ne bougent pas assez sur la glace ? Comment l'entraîneur interagit-il avec les jeunes ? Et, surtout, votre enfant semble-t-il se plaire dans cet environnement ?

Pour une saison de deux à trois mois incluant trois tournois, des spécialistes pour les entraînements, deux séances d'entraînement par week-end, les uniformes, les survêtements et tout le reste, le coût ne devrait pas dépasser 700 $. Et, parfois, des commanditaires peuvent contribuer à réduire les coûts de base. L'expérience en vaut la peine, surtout pour les enfants âgés entre 5 et 10 ans, avant que Hockey Québec les prenne en charge dans ses programmes d'élite.

« Si l'organisation propose un ratio d'entraînements plus grand que le nombre de tournois, l'approche est convenable. La victoire ne doit pas devenir une fin en soi à un jeune âge. Si l'entraîneur impose de la pression aux jeunes pour gagner un tournoi à Toronto, Québec ou Montréal, il fait fausse route. Le jeune pourrait délaisser le hockey plus tôt que prévu. Sa saison régulière vient de se terminer, il a atteint des sommets, il ne faut pas trop remplir son verre d'eau. L'organisation qui offre un bon programme hors glace pour le développement de la vitesse, de l'agilité, etc., devrait marquer des points », dit Yves Archambault, de Hockey Québec.

»» LA PAROLE AUX ENFANTS ««

MATHIEU COBETTO-ROY, 10 ANS

Mathieu entame sa première année au niveau Pee Wee. Il est l'un des meilleurs joueurs de sa région et il sait ce que ça prend pour atteindre la LNH. « Il faut s'entraîner, faire de la musculation, des tirs, de la course à pied. Je fais de la musculation chez moi environ trois fois par semaine, environ 2 100 tirs par semaine et de la course. »

Mathieu adore le hockey, mais pas toujours les sacrifices qu'il doit s'imposer. « Ce que j'aime le moins, c'est la musculation. Ça demande beaucoup de force et c'est dur. »

Mathieu surveille aussi son alimentation. « Je n'ai jamais mangé de poutine. J'aimerais peut-être ça, mais ce ne serait pas très bon pour moi ni pour mon entraînement. Je peux manger du steak, des pâtes et des céréales. »

Mathieu a déjà songé à tout abandonner. Mais ça n'a pas duré longtemps. « Mon père me poussait tout le temps pour que j'aille faire mon entraînement. J'étais un peu tanné. J'ai arrêté d'en faire pendant une ou deux semaines. Ça me tentait de jouer au hockey, mais pas de m'entraîner. Mais quelques semaines plus tard, j'ai vu les Jeux de Sotchi à l'école sur l'écran géant. Tout le monde criait pour le Canada. Je me disais que ça me tentait d'être dans cette équipe pour que tous les petits enfants soient heureux de me voir jouer et crient « Go Mathieu ! ».

LE SURMENAGE CHEZ UN ENFANT, ÇA EXISTE ?

Certains parents, dans le déni, poussent leur enfant au maximum dans la pratique de leur sport, prétextant qu'il est « capable d'en prendre », qu'il est passionné par le sport et qu'il lui faut un minimum d'heures d'entraînement pour se hisser parmi les meilleurs. Comme pour l'alcool, la modération a bien meilleur goût...

Dans son autobiographie, le champion de tennis Andre Agassi peint un sombre portrait des jeunes athlètes poussés à l'extrême. « D'après mon père, si je frappe 2 500 balles tous les jours, cela fera 17 500 balles par semaine et, au bout d'un an, j'aurai frappé environ un million de balles. Il croit aux mathématiques. Les chiffres, dit-il, ne mentent jamais. Un gamin qui frappe un million de balles par an sera forcément imbattable.

« J'ai sept ans et je parle tout seul parce que je suis effrayé et parce que je suis le seul qui veuille bien m'écouter, poursuit Agassi. Je murmure entre mes dents : *Abandonne, Andre, laisse tomber. Pose ta raquette et va-t'en de ce court, immédiatement.*

Rentre à la maison et cherche-toi quelque chose de bon à manger. Va jouer avec Rita, Philly ou Tami. Assieds-toi auprès de maman pendant qu'elle tricote ou qu'elle fait ses puzzles. Est-ce que ce n'est pas une bonne idée ? Est-ce que ça ne ressemblerait pas au paradis, Andre ? De laisser tomber ? De ne plus jamais jouer au tennis ? Mais c'est impossible. Non seulement mon père me poursuivrait dans toute la maison avec ma raquette, mais quelque chose dans mes tripes, une sorte de muscle profondément caché, m'en empêcherait. Je déteste le tennis, je le hais de tout mon cœur, et cependant je continue de jouer, je continue de frapper des balles parce que je n'ai pas le choix. Je me supplie d'arrêter et je continue de jouer, et ce fossé, cette contradiction entre ce que je souhaite et ce que je fais en réalité ressemble au cœur même de mon existence. »

Vers la fin de sa carrière, Agassi confie aux journalistes qu'il souhaite que son fils ait une passion dans la vie et qu'avec un peu de chance, ce sera le tennis parce qu'il a tant aimé ce sport. Il revient sur cette anecdote dans son livre : « Ce vieux, vieux mensonge. Mais il me fait encore plus honte aujourd'hui parce que j'y implique mon fils.

Cette imposture menace de se perpétuer à l'avenir. Stefanie (Graf) et moi sommes plus résolus que jamais à ne pas vouloir cette vie de fous pour Jaden et Jaz, alors pourquoi avoir dit cela ? Comme toujours, j'imagine que c'est parce que j'ai tenu à donner ce qu'on voulait entendre. Et puis, tout juste sorti d'une victoire, je me suis dit que le tennis était un beau sport, qui m'a beaucoup apporté, et que j'ai voulu lui rendre hommage. Peut-être me suis-je aussi senti coupable de détester le tennis. Ce mensonge a été ma façon de cacher ce sentiment de culpabilité, de l'expier. »

Malheureusement, je connais des Andre Agassi dans mon entourage. Vous aussi, peut-être. Des jeunes qui sont forcés d'aimer un sport et qui l'abordent comme un adulte aborderait une carrière. Le docteur américain Joel S. Brenner, du « Council of Sports Medicine and Fitness », révélait d'ailleurs en 2007 que les blessures d'usure, de surentraînement et le surmenage chez les enfants-athlètes étaient en croissance aux États-Unis. On peut deviner que le problème touche aussi le Québec.

Mais il y a aussi ces parents de bonne foi, comme cela m'est déjà arrivé dans le passé, qui voient leurs enfants en redemander, avoir cette soif du dépassement même à un très jeune âge et qui se demandent quand les arrêter. Quand est-ce trop ? Comment gérer les repos ? Il n'existe pas de guide officiel comme tel pour conseiller les parents. Par contre, la plupart des spécialistes, comme le docteur Brenner ou la Faculté de médecine de l'Université Harvard, division sport et médecine, recommandent les mêmes choses :

– Limiter les périodes pour un même sport à cinq par semaine, et accorder au moins une journée complète de congé d'activité physique par semaine à l'enfant.

– Allouer au moins deux ou trois mois de pause par année si l'enfant pratique un même sport, de façon à guérir les petites blessures et aérer l'esprit. En profiter pour travailler le conditionnement physique et la force musculaire.

– Ne jamais s'entraîner plus de 18 à 20 heures par semaine et appliquer la « règle du 10 % », c'est-à-dire ne jamais augmenter la charge de travail de plus de 10 % d'une semaine à l'autre. Par exemple, l'athlète qui s'entraîne pendant 60 minutes quatre fois par semaine ne devrait jamais passer à plus de 66 minutes la semaine suivante.

– Le sommeil est crucial.

– Le but principal poursuivi dans le sport devrait être la promotion de l'activité physique à long terme, de saines habitudes de vie et de compétition, et le plaisir.

– Pratiquer un seul sport augmente les risques d'usure tant physique que psychologique. Ceux qui pratiquent plusieurs sports se développent mieux sportivement à long terme. Évitez des sports qui sollicitent tous les mêmes muscles.

– Éviter plusieurs sports de haut niveau simultanément. Idéalement, faites des sports différents chaque saison.

Il n'est évidemment pas facile d'appliquer toutes ces règles quand votre enfant possède de grandes qualités athlétiques. Les fédérations et les équipes mettent beaucoup de pression pour que l'enfant abandonne d'autres sports et se consacre à un seul. On nous prévient même qu'il risque de payer le prix d'une non-sélection s'il ne sacrifie pas tout pour un seul sport. C'est triste, à mon avis.

LA NUTRITION

La question de la nutrition se retrouve sur toutes les tribunes. Les médias ne cessent de nous mettre en garde contre les méfaits de la malbouffe. L'on ne compte plus les émissions de télévision destinées à nous donner des idées utiles pour cuisiner santé. Pour expliquer leurs bonnes performances, les athlètes parlent désormais de leur programme nutritionnel, entre autres, et n'hésitent plus à citer leurs nutritionnistes au même titre que leurs entraîneurs personnels et leurs psychologues.

Malgré toute cette sensibilisation, le message ne passe pas toujours. Il m'est arrivé souvent de rappeler certains parents à l'ordre parce que leurs enfants se nourrissaient mal. Les gens sont libres de leurs choix de vie, mais quand l'entraîneur en moi voyait son gardien titulaire manger une grosse poutine deux heures avant une rencontre, peiner à suivre ses coéquipiers lors des entraînements de pliométrie (mode d'entraînement qui consiste à produire un mouvement plus puissant sur une période très courte) et faire de l'embonpoint parce que son menu se composait principalement de frites, de hamburgers, de pizzas grasses et de boissons gazeuses, je me donnais le droit d'intervenir...

Que votre enfant aspire à l'élite ou ne pratique le sport que pour s'amuser, bien le nourrir constituera une décision gagnante et intelligente. Vous contribuerez à améliorer sa santé et ses performances sportives. Mais, outre les évidences, comment savoir quel type de repas il faut offrir à son enfant avant une compétition d'importance ? Combien de temps faut-il le nourrir avant et après un match ? Quels aliments favoriser selon l'heure de la journée et le type d'activité sportive ?

Mélanie Olivier est une référence en matière de nutrition au Canada. Je la croisais à une certaine époque lors de courses cyclistes aux quatre coins du Québec. On s'est perdus de vue, mais j'ai suivi sa carrière dans les médias. Elle accompagnait Éric Lucas et Lucian Bute lors de leurs combats de championnat du monde. Elle a été choisie à titre de première nutritionniste au sein de l'équipe de l'amélioration de la performance par le Comité olympique canadien (COC) pour les Jeux de Turin, Pékin et Vancouver. Elle travaille aussi avec les Canadiens de Montréal, les Bulldogs de Hamilton et la compagnie qu'elle a fondée, Vivaï, et offre des conseils en nutrition aux athlètes de pointe comme au commun des mortels. Elle reçoit souvent la visite de parents de jeunes hockeyeurs.

« Je dis d'abord aux parents que ce sont eux qui connaissent le mieux leurs enfants, pas les entraîneurs. Il faut atteindre cinq à huit portions de légumes et fruits par jour et, surtout, varier l'alimentation même si le temps manque souvent. On a tendance à leur faire manger la même chose que nous. Ce faisant, les jeunes n'apprennent pas que plusieurs aliments peuvent fournir des nutriments semblables. Par exemple, les pommes de terre (non frites) sont de très bonnes sources de glucides, comme les pâtes. »

Il faut respecter un certain temps entre l'entraînement ou le match et le moment où l'enfant mange. « Plus on est proche d'un match ou d'un entraînement, plus il faut éviter les aliments riches en protéines et en gras comme les fritures ou un gros steak, dit-elle, car c'est plus long à digérer. Ce n'est pas grave si l'on n'est pas en mesure de cuisiner notre plat de pâtes habituel. Il y a tellement de grains et de céréales qui fournissent aussi des glucides. Idéalement, il faut manger en fonction du temps disponible. Plus on a de temps, plus on peut manger un repas complet. Habituellement, on met trois heures à digérer les protéines, mais cette période peut être plus courte pour l'enfant si l'on choisit des petites quantités, comme dans un sandwich au poulet. Pensez à un entonnoir : moins j'ai de temps, plus les aliments doivent y passer rapidement pour être absorbés à temps et ainsi ne pas donner de crampes ou, pire, de nausées. »

Voici quelques conseils en vrac de Mélanie Olivier.

– Le petit-déjeuner est un repas très important. Un fruit, des rôties avec du beurre d'arachides et un verre de lait ou un yogourt constituent un repas complet, mais l'on peut aussi manger du gruau ou des céréales avec un œuf et un fruit. Si vous ou le jeune n'avez pas beaucoup de temps, allez-y pour une boisson fouettée (*smoothie*) faite de yogourt grec, d'avoine, de graines de citrouille, de fruits frais ou congelés.

– Il est bon de boire de l'eau entre le repas et le match. Évitez les boissons sucrées avant les compétitions, mais on peut en boire en les diluant avec de l'eau pendant l'exercice. Une recette utile comme substitut santé : 850 ml d'eau, 60 ml de jus d'orange, 60 ml de sirop d'érable, 30 ml de jus de lime et 1 mg de sel.

– La collation idéale après la compétition ou un entraînement doit comprendre des glucides et une petite quantité de protéines : un jus de légumes avec craquelins, un lait au chocolat, un yogourt avec un fruit et de l'eau, ou quelques amandes et un fruit.

– Consommer de l'eau est important. Amener l'enfant à adopter une habitude, lui faire boire un verre d'eau chaque fois qu'il se brosse les dents, qu'il se lave les mains, etc. Idéalement, amener chaque enfant à avoir sa propre bouteille non seulement pour éviter la propagation des microbes, mais aussi pour individualiser son habitude de l'hydratation et mesurer la quantité de liquide absorbé.

– Amenez l'enfant à participer à son alimentation, cultivez son goût de bien manger et de cuisiner pour éviter qu'il se sente perdu dans une épicerie à 18 ans... Montrez-lui qu'à l'épicerie, les aliments dont nous avons vraiment besoin ne sont pas dans les allées centrales, mais bien dans les comptoirs de fruits et légumes, etc. ! Donnez-lui le bon exemple, croquez des légumes au lieu de boire un trop grand café et de manger un beigne.

– Produits à limiter au maximum : les boissons énergisantes et gazeuses, les aliments frits, les hot dog ou saucisses à hot dog, les viandes et charcuteries avec nitrites, les mets de restauration rapide très gras et salés, car on contribue à développer un goût pour ces aliments. Surtout, ne pas en faire des récompenses, mais au contraire faire que la vraie récompense soit des frites maison, des pizzas maison ou un bon resto ! D'ailleurs, de quoi a-t-on envie quand ça va mal ? Pas de mets de restauration rapide... mais du pâté chinois de notre mère ou de la tarte aux pommes de notre grand-mère ! Les friandises ne doivent pas être interdites, mais consommées avec modération.

»» À L'ÉPICERIE ««

LÉGUMES
Riches en vitamines et minéraux
- Brocoli
- Tomate
- Épinard
- Poivron
- Patate douce

FRUITS
Riches en antioxydants, vitamines et minéraux
- Petits fruits
- Banane
- Orange
- Raisins
- Fruits séchés

PAINS
2 g de fibres ou plus / tranche
- 100 % blé entier
- Graines de lin
- Seigle
- Tortilla de grains entiers
- Bagel de grains entiers

PRODUITS LAITIERS ET SUBSTITUTS
- Lait faible en gras (0-2 %)
- Fromage cottage léger
- Yogourt grec
- Fromage léger (moins de 20 % MG)
- Lait de soya, riz ou amande enrichi de calcium et de vitamine D

BARRES DE CÉRÉALES
2 g de protéines et de fibres ou plus
5 g de gras ou moins

BARRES DE RÉCUPÉRATION
10 g de protéines ou plus
30 g de glucides ou plus

Les recommandations dans ces tableaux sont d'ordre général et s'appliquent à des enfants en fin de croissance ou l'ayant terminée. Sinon, les quantités de protéines doivent être moindres et calculées en fonction des apports énergétiques totaux nécessaires.
Source : VIVAÏ Experts en nutrition

GRAINS ET PRODUITS CÉRÉALIERS

Grains entiers

- Quinoa
- Riz sauvage ou brun
- Millet
- Couscous de blé entier
- Pâtes alimentaires de grains entiers

CÉRÉALES ET GRUAU NATURE

4g de protéines ou plus
3g de fibres ou plus
10g de sucre ou moins

VIANDES MAIGRES

- Poitrine poulet / dinde
- Crevettes
- Poisson à chair blanche, thon
- Cheval / bison / chevreuil / caribou
- Filet de porc

SUBSTITUTS DE VIANDES

- Œufs
- Tofu
- Légumineuses : pois chiches / fèves
- Noix et beurre de noix ou d'arachides
- Poudre de lait écrémé

CRAQUELINS

2g de fibres ou plus
300mg de sodium ou moins
1g de gras saturé ou trans ou moins

BISCUITS À L'AVOINE

5g de gras ou moins / portion

»» COLLATIONS ««

Rechercher : 30 g de glucides, 5 - 10 g de protéines

1 barre granola + 2 clémentines

4 grosses dattes + 1 yogourt (175 g) + 10 pistaches

1 jus de légumes (156 ml) + 10 craquelins au blé + 1 portion de fromage

1 banane + 1 lait au chocolat (200 ml)

1 yogourt à boire + 1 muffin aux bleuets ou au son

»» REPAS ««

Rechercher : 48 - 64 g de protéines (équivalent de 6 - 8 oz de viande)

- 2 petits pains
- 1½ tasse de fromage cottage
- 1 tasse de potage aux légumes
- 1 tasse de mini-tomates et de carottes
- 1 tasse de petits fruits

Source : VIVAÏ Experts en nutrition

- 1 tasse de boulgour cuit ou de couscous
- 1½ boîte de thon égoutté (60 g)
- 6 rondelles de cornichons sucrés et jus
- 1 poivron rouge en dés
- 1 yogourt (113 g)

- salade verte avec poivrons et tomates
- 6-8 oz de poitrine de poulet cuite en morceaux
- 30 g de fromage cheddar léger
- 1 c. à soupe d'huile d'olive
- 1 sachet de biscuits

- 1 tasse de pâtes cuites
- 50 g de fromage cheddar
- 2 œufs cuits durs et 2 blancs d'œuf
- ½ tasse de brocoli
- 1 c. à soupe de vinaigrette aux fines herbes
- 1 pomme et un yogourt

- 2 galettes de riz tomates et basilic
- 1 petite tortilla avec 12 tranches de poulet
- 1-2 c. à soupe d'hoummos
- 1 tasse de crudités variées
- 1 petit bol de mandarines

ENTRAÎNEMENT HORS GLACE ET MUSCULATION

On a longtemps pensé que la musculation était néfaste pour les enfants et qu'elle pouvait même nuire à leur croissance. Cette idée est d'ailleurs encore répandue aujourd'hui, et certains parents me regardaient avec de gros yeux lorsque j'apportais mes petits poids libres lors d'entraînements hors glace avec mes joueurs.

Or, non seulement la musculation chez les enfants est-elle désormais tolérée par les spécialistes, mais elle est encouragée ! L'Académie américaine des pédiatres a en effet modifié un article de sa charte, en avril 2008, et recommande désormais cette pratique chez les préadolescents et adolescents pour améliorer la force physique, les performances, prévenir les blessures et favoriser la santé à long terme.

« L'idée selon laquelle le travail très musculaire était néfaste aux enfants et pouvait même retarder leur croissance n'avait jamais été démontrée, ça relevait surtout de la légende urbaine », confie l'éducateur physique et auteur Richard Chevalier.

Titulaire d'un baccalauréat en éducation physique et d'une maîtrise en physiologie de l'exercice, Richard Chevalier a enseigné l'éducation physique au Collège de Bois-de-Boulogne de 1969 à 2005. Il agit à titre de rédacteur d'un mensuel sur l'activité physique (*Kiné-Santé*) et il a aussi collaboré durant quelques années à *La Presse*. Il a donné de nombreuses conférences sur les bienfaits de l'exercice, écrit plus de 200 articles sur la santé et l'exercice dans divers magazines et est l'auteur de plusieurs ouvrages dans le domaine.

« La musculation ne nuit pas, dit-il, mais il faut adapter les poids. La croissance de l'enfant n'est pas terminée, ce n'est pas une très bonne idée de faire travailler un enfant de 12 ans avec de pleines charges comme pour un adulte. L'enfant ne doit pas être fatigué au terme de ses séances, il s'agit d'un complément d'entraînement et il faut une très bonne supervision pour que les exercices soient effectués correctement. »

À cet effet, l'Académie américaine des pédiatres recommande une évaluation médicale avant d'adopter un programme formel afin d'établir les facteurs de risque et de discuter des blessures antérieures. L'on conseille aussi fortement de se limiter aux poids libres, qui comptent beaucoup de modèles moins lourds et demandent davantage d'équilibre lorsqu'on les manipule. Les mouvements rapides et vigoureux ne sont pas recommandés et l'on suggère des étirements et une période de décompression après les entraînements.

Personnellement, je recommande de consulter des spécialistes de l'entraînement hors glace qui pourront bâtir un programme adapté au jeune. Ils sont de plus en plus nombreux et qualifiés. Le hockey ayant beaucoup changé, on ne s'entraîne plus comme avant : la priorité n'est plus donnée aux bras et aux jambes, mais plutôt au tronc – le moteur du hockeyeur – et les exercices de pliométrie sont de plus en plus en vogue.

AAA

CHAPITRE

LE HOCKEY FÉMININ AU QUEBÉC

À ce jour, la Québécoise Manon Rhéaume est la seule femme qui ait joué pour une équipe de la LNH. Sa présence dans l'uniforme du Lightning de Tampa Bay, le 23 septembre 1992, se voulait principalement un gros coup de marketing de la part du grand patron de cette équipe, Phil Esposito. Son exploit a toutefois inspiré la génération qui a suivi. Manon Rhéaume a laissé à tout jamais sa marque dans le hockey féminin.

À l'époque, les hockeyeuses ne participaient pas aux Jeux olympiques. Elles devaient jouer avec les garçons lorsqu'elles affectionnaient ce sport. Heureusement, les temps ont changé : les équipes féminines sont plus nombreuses, les athlètes olympiques bénéficient d'un encadrement très structuré à longueur d'année, le hockey universitaire canadien est bien implanté et des collèges américains offrent des bourses d'études à nos meilleures hockeyeuses.

Malgré tout, le hockey féminin stagne au Québec. Le nombre de joueuses a bondi de 2 715 en 1998-1999 à 6 519 en 2012-2013, selon les statistiques de Hockey Canada, mais il accuse une légère baisse depuis trois ans. Statistique surprenante : la proportion de hockeyeuses parmi tous les joueurs inscrits à Hockey Québec n'est que de 6,5 %. Il s'agit du plus faible pourcentage au pays. En Ontario, en Nouvelle-Écosse, en Colombie-Britannique et en Alberta, les filles représentent respectivement 18 %, 17 %, 14 % et 12 % du bassin de joueurs inscrits.

On dénombre désormais près de 43 000 joueuses en Ontario. Cette province pourrait d'ailleurs être considérée comme le berceau du hockey féminin au pays. « L'Ontario est un cas unique, affirme Yves Archambault, de Hockey Québec. Il y a plus de hockeyeuses en Ontario que dans n'importe quel pays du monde. Personne ne s'en approche. Il faut faire mieux au Québec. »

Le secret de l'Ontario ? Tandis qu'environ 60 % des 6 519 hockeyeuses québécoises jouent encore et toujours avec les garçons, 90 % des hockeyeuses ontariennes évoluent dans des ligues féminines.

Cela peut s'expliquer par la création, en 1975, de la OWHA (Ontario Women's Hockey Association), organisme indépendant de la Fédération ontarienne de hockey (OHF).

« Presque toutes les joueuses d'élite en Ontario jouent au sein de l'OWHA », note Andrew Boosamra, directeur du hockey féminin pour l'Association Versant Ouest, dans la région de Montréal. « C'est beaucoup mieux structuré. Ici, on compte une seule personne à temps plein à Hockey Québec pour le hockey féminin, qui est encore considéré comme un sport secondaire. Pourquoi les filles du Québec jouent-elles ensemble dans tous les sports, sauf au hockey ? »

Le manque d'attrait pour le hockey féminin pourrait-il aussi découler d'un phénomène culturel et social ? « Le hockey féminin est mieux accepté au Canada anglais ou aux États-Unis, dit Andrew Boosamra. Nous le ressentons quand nous discutons avec les parents. Dans la plupart des cas, si un garçon et une fille de la même famille jouent au hockey, le parent privilégiera les activités du garçon. »

Y aurait-il un lien entre notre passé religieux et le développement du hockey féminin au Québec ? Au début du xxe siècle, pendant que les équipes foisonnaient en Ontario, les Canadiennes françaises n'osaient pas s'adonner au hockey. « Leur rôle était de faire des enfants et de perpétuer la race, pas de pratiquer un sport qui exige de la combativité et qui ne met en évidence ni leur grâce, ni leur féminité. Pour bon nombre de Canadiens français, le hockey féminin était tout simplement inconvenant, voire immoral. Dans les années 1950, le hockey féminin était toujours considéré comme un péché par le clergé[1]. »

« Notre culture religieuse entre peut-être en compte, ajoute Yves Archambault. À l'époque, la religion anglicane était beaucoup plus ouverte aux sports féminins et ça explique sans doute pourquoi les femmes pratiquaient beaucoup plus de sports au Canada anglais. Même dans l'ouest de l'île de Montréal, la culture féminine du sport est plus solidement ancrée. »

Yves Archambault et Hockey Québec suivent le modèle ontarien avec beaucoup d'intérêt et de curiosité. « Il nous fallait développer ce réseau de

1. *Nos Glorieuses, Plus de cent ans de hockey féminin au Québec*. Linda Baril, Les Éditions La Presse, 2013

compétition féminine et on y arrive, dit-il. On compte désormais une ligue d'élite Pee Wee, Bantam et Midget AA et nos meilleures filles participent à un tournoi Midget AAA. Un programme féminin Sport-études est en vigueur dans six ou sept écoles depuis septembre 2014. Ce sont des filles qui pourront continuer à jouer pour leur équipe respective, mais qui s'entraîneront dans une école de leur région pendant le calendrier scolaire. Une association de hockey féminin comme en Ontario n'est pas à exclure. »

Andrew Boosamra souhaite que les jeunes filles puissent un jour jouer ensemble et les unes contre les autres comme en Ontario, non seulement pour leur développement athlétique, mais aussi pour l'aspect social qu'il juge tout aussi important. « Le sport, c'est aussi un apprentissage de vie. Tu appartiens à une équipe. Mais quand une fille fait partie d'une équipe de garçons, elle n'est jamais complètement considérée comme membre à part entière de l'équipe. L'interaction est différente dans un vestiaire entièrement féminin. L'acclimatation est plus facile pour elles. Je suis déçu chaque fois qu'une jeune fille abandonne le hockey parce qu'elle ne veut plus jouer avec les garçons et qu'il n'y a pas d'équipe féminine pour l'accueillir. C'est anormal de retrouver 130 000 joueuses de soccer dans la province contre seulement 6 000 hockeyeuses... »

ON NE DIRIGE PAS LES FILLES COMME LES GARÇONS

L'essayiste et auteur John Gray a vendu huit millions d'exemplaires de son livre *Les hommes viennent de Mars, les femmes viennent de Vénus*, publié en 1999. Ce psychothérapeute expliquait, essentiellement, que l'homme et la femme n'avaient ni la même conception de l'amour ni le même code comportemental ou linguistique pour l'exprimer, et il n'hésitait pas à les comparer à des êtres venus de deux planètes différentes. En conséquence, on devine que les entraîneurs doivent adopter une approche différente selon le sexe de son groupe.

« Il faut choisir le vocabulaire adéquat et la façon de livrer notre message », confie Andrew Boosamra, qui a dirigé tant des équipes de filles que de garçons. « On ne peut pas motiver les filles de la même façon que les garçons. Tu peux hausser le ton à l'occasion avec des garçons, mais pas avec des filles. À cet âge, elles cherchent à se faire une place socialement dans leur groupe et une désapprobation devant leurs coéquipières serait plus lourde de conséquences que pour un garçon. Un entraîneur gueulard n'obtiendrait pas de beaucoup de résultats avec des équipes féminines. »

« Il ne faut jamais cibler une fille en particulier dans nos commentaires », dit Marc Parent, avec qui j'ai dirigé des équipes de garçons pendant trois ans avant qu'il commence à diriger exclusivement les clubs pour lesquels sa fille de 13 ans jouait. « Elles réagissent différemment aux critiques. Elles auront tendance à se décourager plutôt que de se servir des critiques comme d'un élément de motivation. Il faut éviter de trop jouer sur les émotions. On doit toujours parler au nom du groupe. Une approche plus douce est nettement plus payante. Un entraîneur qui sacre perdra complètement le respect de ses joueuses. »

Andrew Boosamra remarque une dynamique très différente dans un vestiaire regroupant uniquement des filles. « Surtout sur le plan de l'organisation sociale, ajoute-t-il. La solidarité est plus forte.

On ne veut pas laisser une coéquipière seule dans son coin. Les garçons ne réagiront pas nécessairement devant un coéquipier laissé sur le banc des joueurs, mais les filles oui. »

L'entraîneur Sébastien Farrese enseigne aussi à de nombreuses filles dans ses écoles de hockey. « En général, les filles ont une meilleure concentration et elles écoutent mieux que les garçons », dit-il. Andrew Boosamra abonde dans le même sens. « Elles sont beaucoup plus disciplinées. Quand je siffle, elles ne mettent pas de temps à me rejoindre et à poser un genou sur la glace. L'enseignement est plus facile parce que leur écoute est meilleure. Elles tiennent à bien comprendre les instructions, car elles craignent de mal exécuter les exercices et de mal paraître aux yeux des autres. Alors, elles écoutent et elles regardent !»

Si les filles assimilent les enseignements plus rapidement, elles n'ont pas nécessairement la même compréhension du jeu que les garçons. « En général, elles regardent beaucoup moins les matchs de hockey professionnel à la télévision que les garçons, mentionne Andrew Boosamra. Le principe d'émulation est moins présent. Il faut donc les encadrer avec des entraîneurs très compétents, car l'essentiel de leur apprentissage se fait lors des entraînements. D'ailleurs, elles utilisent leur bâton seulement quand elles sont sur la glace, alors que les garçons jouent beaucoup avec dans les ruelles ou ailleurs. Je généralise un peu, mais c'est vrai. »

LES DIFFÉRENCES MORPHOLOGIQUES

J'ai participé, il y a quelques années, à une émission de télévision en compagnie de la légendaire France St-Louis, capitaine de l'équipe canadienne de hockey sur glace de 1992 à 1994. De l'avis de l'ancienne joueuse intronisée au Panthéon des sports du Québec, en 2003, il fallait cesser de comparer le hockey masculin et le hockey féminin puisque les meilleures hockeyeuses du monde ne patineraient jamais plus rapidement, ne décocheraient jamais de lancers frappés aussi puissants et n'auraient jamais la même force physique que les meilleurs hockeyeurs de la planète.

D'ailleurs, l'équipe féminine olympique canadienne dispute ses matchs préparatoires contre des formations Midget AAA. « Elle a battu les Lions du Lac-Saint-Louis 9-0, note Andrew Boosamra. J'imagine qu'une équipe de la Ligue de hockey junior majeur du Québec les battrait, mais ça ferait un bon match. »

Il serait d'ailleurs étonnant de voir un jour une femme évoluer de façon régulière dans la LNH à un poste d'avant. L'une des meilleures joueuses de l'histoire, Hayley Wickenheiser, a réussi une brève percée chez les professionnels, en deuxième division finlandaise, avec un succès toutefois mitigé.

Dans le hockey mineur, cependant, certaines filles profiteront d'une poussée de croissance précoce, par rapport aux garçons, pour se signaler. « Elles atteignent la puberté plus rapidement et seront plus développées et endurantes dans les rangs Atome et Pee Wee. Puis, à compter de l'âge de 13 ans, c'est le contraire », mentionne Vanessa Béliveau, médecin de profession et mère d'un garçon et d'une fille évoluant dans le hockey mineur.

« On commence à voir la différence au niveau Pee Wee, note Sébastien Farrese. La vitesse d'exécution est moins grande et les garçons commencent à les dépasser en taille. »

C'est aussi à cet âge que les entraîneurs d'équipes féminines doivent tenir compte du facteur hormonal dans leur plan de match. « Les variations hormonales sont anarchiques vers 12 ou 13 ans et les entraîneurs doivent être à l'écoute de leurs joueuses, dit Vanessa Béliveau. Une joueuse dans son cycle menstruel pourra avoir des maux de ventre et ne pas offrir le même rendement. »

« Tu le sais tout de suite, confie l'entraîneur Marc Parent. Il suffit qu'une seule fille soit menstruée pour qu'il y ait un élan de solidarité exceptionnel. Les filles le savent et compensent pour elle. Si, lors d'un entraînement, la moitié de tes joueuses sont dans leur syndrome prémenstruel, je m'ajuste et je ne demande pas la même rigueur. On en vient à le déceler rapidement, ça se ressent. Sinon, quand le lien de confiance sera créé, les filles n'hésiteront pas à te le dire. »

Ceux qui ne sont pas familiarisés avec le hockey féminin regarderont sans doute désormais les compétitions internationales féminines d'un autre œil.

CHAPITRE

LE MOT DE LA FIN

Après une carrière de 17 saisons dans la LNH avec les Canadiens de Montréal, avec lequel il a remporté la Coupe Stanley en 1993, et les Flyers de Philadelphie, dont il a été le capitaine, Éric Desjardins est rentré au Québec avec sa petite famille en 2006. Il s'est plongé dans le monde du hockey mineur en 2006.

Éric a dirigé son fils Jakob pendant cinq ans du niveau Novice au niveau Pee Wee. « Il serait temps de mener une réflexion sur le hockey mineur, dit-il. Le hockey perd du terrain au profit du football et du soccer, et ce n'est pas le fruit du hasard. En général, les parents sont obsédés par la victoire. C'est malsain. Le hockey mineur québécois vit une profonde crise des valeurs. Le respect de l'autorité n'existe plus, certains spectateurs sont fous de rage au moindre prétexte et on n'insiste pas assez sur l'importance du jeu collectif. Les valeurs fondamentales, comme l'épanouissement, le développement et le plaisir de l'enfant, ont été reléguées aux oubliettes. Il y a beaucoup d'éducation à faire.»

Éric Desjardins est inquiet pour l'avenir de son sport. «Si ça ne change pas, on perdra de plus en plus de joueurs. L'un des problèmes, c'est que le hockey est notre sport national et les gens croient en connaître tous les rouages. C'est plus difficile de critiquer les arbitres et les entraîneurs au soccer quand on est moins connaissants.»

Seul défenseur de la LNH à avoir réussi un tour du chapeau dans un match de la finale de la Coupe Stanley, en 1993, Éric Desjardins a beaucoup de difficulté à comparer l'époque actuelle avec celle de son enfance, dans son Abitibi natal. «On ne voit pas tous ces aspects négatifs du hockey mineur quand on est enfant, et c'est tant mieux. J'ai découvert tous ces jeux de coulisse et ces injustices dans le milieu une fois adulte. Lorsque j'étais plus jeune, ma mère m'accompagnait et m'encourageait, et j'avais beaucoup de plaisir à jouer. À cette époque, jamais je n'ai éprouvé de sentiment désagréable. Aujourd'hui, je constate que trop souvent, les intérêts des parents passent avant le bien-être des enfants. On veut crier haut et fort que son enfant joue au niveau Élite même s'il n'est pas un joueur de haut calibre. Résultat : l'enfant au talent surévalué aura toute la difficulté du monde à suivre le rythme du jeu et on aura retranché un jeune qui, victime d'une injustice, aurait mérité de jouer au sein d'une équipe d'élite. »

Mais tout n'est pas noir dans le milieu du hockey mineur québécois, affirme Éric Desjardins. « Certaines personnes ont de bonnes intentions. Des idées circulent. Mais elles circulent depuis trop longtemps sans que des changements ne s'opèrent. Le hockey commence à peine à s'implanter dans les écoles, mais il devrait y être encore plus présent, à tous les niveaux. On devrait aussi réévaluer les joueurs de façon plus systématique et plus objective. Certains d'entre eux excellent aux niveaux Atome et Pee Wee, mais le jeu change aux niveaux Bantam et Midget et on ne prend pas les décisions en conséquence. »

L'ancien défenseur des Canadiens et des Flyers estime aussi que les bénévoles au sein des associations devraient être mieux encadrés. « Oui, ils font leur possible, mais rien n'est parfait. En fait, le hockey mineur devrait être géré comme une entreprise privée, ce qui nous ramène à la piste de solution que constitue le hockey scolaire. Il faut avoir du personnel compétent et bien rémunéré pour bâtir des programmes de développement, axer notre mission sur l'apprentissage du sport et de la vie, pas juste la LNH. »

Le fils d'Éric Desjardins a cessé de jouer au hockey organisé au niveau Bantam, il y a quelques années. « Mon fils n'a jamais été à l'aise avec les contacts. Il a pris son courage à deux mains et il a fini par me l'avouer. Ce fut un grand soulagement pour lui ! Maintenant, il joue à Boisbriand, dans une ligue scolaire qui interdit les mises en échec. » Comment Éric Desjardins a-t-il réagi, lui, face à cette décision ? « Ce fut un soulagement pour moi aussi. J'ai vite constaté que mon fils cherchait constamment à se protéger lorsqu'il était sur la glace. Tout père de famille souhaite voir son enfant s'épanouir et gagner en confiance, ce que permet le sport. Si l'on ne se sent pas à l'aise dans un sport, on ne pourra jamais accroître sa confiance. Mon fils fait maintenant partie d'une équipe de paintball et il adore ça. J'aime le voir heureux. »

C'est pourtant simple, au fond. On inscrit son enfant à l'association. On l'accompagne. On l'encourage. On l'appuie. On lui répète qu'on l'aime. On laisse les entraîneurs faire leur travail, pour le meilleur et pour le pire. On ne se substitue pas à eux, de façon à laisser son enfant s'approprier son sport avec ses coéquipiers et ses instructeurs. On évite à tout prix que la victoire devienne une obsession. On est toujours à l'écoute : on partage avec lui sa fatigue, son stress, ses joies, ses peines, ses désirs. On le laisse S'AMUSER. On s'abstient de lui imposer des expériences que nous aurions souhaité vivre. On lui rappelle les vertus de la rigueur, du fair-play, de l'abnégation et de l'altruisme.

REMERCIEMENTS

À Luc Rivard et à Yves Létourneau, qui m'ont initié au monde du hockey mineur dans l'Association Outremont et Mont-Royal ;

À mes deux premiers complices derrière le banc au niveau Novice, Andrew Boosamra et Marc Parent, mon fidèle complice et partenaire qui, inlassablement, m'a soutenu pendant toutes ces années, à Jimmy Baloukas, Alex Piché, Steve Vaccaro, François Charrette, Menashi « Mash » Mashaal, Tony Ritlop, Stéphane Quintal, David Maislin, Marc-André Rizk, Marco Desmarais et Neil Rossy ;

Aux fondateurs des Princes, George Pantazis, Steve Vaccaro, Dario Pietrantonio, Rick Sassano, Marco Desmarais, Pierre-Elliott Levasseur, à leurs piliers, Marc-André Rizk, Luis Montoya, Isabelle Audet, Nancy Hamilton, Annie Lévesque, Audry Larocque, Alex Piché, Brian Monk, Martin Delisle, Sébastien Farrese, Paolo Molesini, Marc Parent, Jocelyn Carmant, Stéphane Lafrance, Martin Leblanc, Gilles Plante, ainsi qu'à tous les entraîneurs ;

Aux gérants de mes équipes, piliers du hockey mineur, Nancy Hamilton, Ria Tsapakis, Vincent Gourd, Darnelle Victor, Brigitte Langevin et Joël Taché, sans qui je n'aurais jamais survécu ;

À tous les jeunes joueurs que j'ai eu le plaisir de conseiller et de diriger, qui m'ont rempli de gratitude, de reconnaissance et de joie, et qui m'ont fait vivre des années mémorables ; à Jaden, Mathieu, Benjamin, Édouard, Adrien, Yulen, Kenzo, Gabriel, Pascal, Laurent, Sam, Derryck, Anakin, Albert, Loric, Charles-Antoine, Raphaël et à tous les autres, qui m'ont apporté tellement plus que ce que je leur ai donné !

À un charmant petit prince du nom de Benjamin Gagnon, à qui je souhaite tout le courage nécessaire dans son combat contre la maladie. À toi et à tes parents, je vous envoie plein d'énergie positive.

Je dédie ce petit guide à vous tous qui avez été des sources d'inspiration. Sans vous, il n'aurait jamais vu le jour.